Trucs et secrets pour
mieux réus~

Laporte de la réussite

Éditions etropaL
Site web : www.laportedelareussite.com
Courriel : Jean.Laporte@laportedelareussite.com

Graphisme et mise en page : StoreZone

Photos de Jean Laporte :
Monic Richard photographe, Montréal
studio@monicrichard.co

ISBN 978-2-923476-38-4

Dépôt légal - Bibliothèque nationale du Québec, 1er trimestre 2009
Bibliothèque nationale du Canada, 1er trimestre 2009

Trucs et secrets pour mieux réussir

*J'aimerais dédier ce livre
à tous les hommes et les femmes
qui veulent mieux réussir!*

La vie, c'est comme une bicyclette, il faut avancer pour
ne pas perdre l'équilibre.

Albert Einstein

Remerciements

J'aimerais remercier les personnes suivantes qui ont collaboré à la création de ce livre :

Mon épouse Josée, mes enfants Jean-Pierre et Elyse, pour leur joie de vivre, leurs encouragements et surtout pour leurs façons de me faire apprécier le temps passé ensemble.

Que ce livre soit pour eux un exemple de partage, de connaissances et d'appréciation. J'aimerais qu'ils réalisent que la passion au travail et dans la vie ouvre « Laporte de la réussite ».

Mes conseillers et conseillères qui ont su prendre le temps de lire les ébauches de ce travail et de me donner leurs commentaires percutants, constructifs et directs.

Merci de votre aide, merci pour votre amitié.

Et évidemment à vous qui lisez ce livre!

Table des matières

La gestion du temps

Pour nous aider au travail

Outils du gestionnaire

Apprentissages de l'auteur!

Bienvenue à
Laporte de la réussite

Le projet d'écrire de ce livre a débuté il y a environ six mois. Je révisais des notes provenant d'une formation particulièrement intéressante lorsque le désir d'écrire est apparu. J'ai commencé à choisir des sujets qui, selon moi, pouvaient susciter de l'intérêt pour d'éventuels lecteurs.

Suite à la rédaction de ce livre, j'ai fait appel à des amis, des connaissances d'affaires pour avoir leurs commentaires et suggestions. Je suis fier du résultat : je vous présente « Laporte de la réussite ».

Le but est simple : partager avec vous des trucs, des outils, ainsi que des formules gagnantes, dont j'ai fait l'apprentissage tout au long de ma carrière, tant dans des petites entreprises que dans des grandes comme Apple Computer et Rogers Communications.

Le format est clair : vous trouverez un ou plusieurs conseils par page, ce qui rend la lecture rapide, agréable et pratique. En plus, vous aurez de l'espace pour prendre des notes. Il est important d'écrire dans ce livre pour qu'il devienne un compagnon de travail et qu'il vous permette de passer de la « réflexion à l'action ».

Bonne lecture!!!

Jean Laporte
Janvier 2009

Positif et performant

Comment puis-je utiliser ces idées ?

_____

_____

_____

_____

_____

_____

_____

_____

_____

_____

_____

_____

Avec qui devrais-je partager ces idées ?

_____

_____

_____

«**Laporte**» de la réussite

Un bon déjeuner pour l'âme : l'esprit positif

Nous avons tous des journées plus chargées que d'autres. La veille, c'est le moment de bien nous y préparer, penser à notre approche, sortir nos vêtements… Le matin même, c'est le temps d'un bon déjeuner qui saura nous propulser pour tout l'avant-midi ou même plus loin. Notre corps est prêt.

Comment est notre esprit? Est-il préoccupé par des problèmes de la veille, par une situation problématique à la maison ou par toutes sortes de pensées négatives?

Autant le déjeuner du matin prépare notre corps à la journée à venir, autant la préparation mentale aide notre démarche intellectuelle au quotidien.

C'est à nous de trouver la bonne nourriture pour notre esprit : pensées positives, musique, photos, mots de motivation, etc. Cette nourriture d'approche positive ouvre « Laporte de la réussite » en donnant l'énergie et la confiance nécessaires pour changer le monde, un jour à la fois.

En ayant confiance en vous, vous envoyez un message important à votre entourage… et à vous-même!

Comment puis-je utiliser ces idées ?

Avec qui devrais-je partager ces idées ?

Dégager de l'énergie

Tous les jours, nous faisons face à certains problèmes, à des situations à régler, autant en famille qu'au bureau. Plusieurs personnes nous demandent notre opinion, nos commentaires, et même de les conseiller dans leurs démarches.

L'approche que nous prenons au moment précis de la recherche de solutions influence le cheminement des choses et peut être déterminante dans notre carrière.

Si vous êtes perçu comme une personne qui accepte de recevoir des problèmes et qui est capable de dégager de l'énergie, c'est-à-dire de donner des pistes de solutions et le courage d'y arriver, vous serez alors un leader, une ressource importante pour votre entourage et votre entreprise : sans aucun doute la route à prendre pour une belle carrière.

Il est toujours primordial de faire partie de la solution et non du problème. Profitons-en pour aider et guider ceux avec qui nous travaillons et vivons.

Comment puis-je utiliser ces idées ?

_____

_____

_____

_____

_____

_____

_____

_____

_____

_____

Avec qui devrais-je partager ces idées ?

_____

_____

_____

«**Laporte**» de la réussite

L'importance des mots

Prenons-nous le temps nécessaire pour bien exprimer notre pensée? Si oui, utilisons-nous tout le pouvoir qu'ont les mots? Tout bon vendeur connaît la différence entre les mots « *investir* » et « *dépenser* ». Ainsi, vous et moi préférons investir dans notre maison plutôt que dépenser pour des rénovations…

Il semble que le mot « *investir* » donne l'idée d'accroître son patrimoine… et procure une meilleure sensation!

Plusieurs mots peuvent aider de la même manière :
Un d'entre eux peut nous permettre d'exprimer notre désaccord sans être négatif.

Voici un exemple de l'usage d'un mot.

Si l'on vous dit : « *Bonne explication, mais...* », cela peut donner l'impression que l'on s'oppose à votre idée. Si, par contre, le mot « *et* », au lieu du « *mais* » est utilisé, cela donne : « *Bonne explication, et je pense que nous pouvons la compléter par...* ». Cette approche permet de passer le message tout en restant positif.

Prenez le temps de bien peser le poids des mots pour améliorer la communication et ainsi augmenter vos chances de succès.

Comment puis-je utiliser ces idées ?

Avec qui devrais-je partager ces idées ?

L'approche en trois points

Un petit secret ou truc de bon communicateur : il peut vous aider dans vos réunions au bureau, dans vos discussions avec votre patron et même lors de visites chez vos clients. Considérant qu'une idée bien comprise s'explique clairement, je voudrais vous recommander de recourir à trois points d'ancrage dans vos présentations, vos réponses ou vos commentaires.

Voici un petit exemple :

* « Bonjour Jean, comment as-tu apprécié le nouveau restaurant que tu as visité hier? »

La réponse en trois points :
* « J'ai bien aimé l'ambiance qui permet de relaxer après une journée de travail. »

* « Le service a dépassé mes attentes. »

* « La nourriture était succulente et le prix abordable. »

Cette réponse est bien différente du
* « Oui, c'était correct. »

Pour y arriver, il suffit de pratiquer quelque peu. Parlez-moi en trois points de votre voiture, de vos dernières vacances ou… de votre belle-mère!

Exercez-vous, amusez-vous avec ce petit truc, et je suis certain que vous pourrez améliorer vos communications au travail.

(1) Référence : voir p.185

Comment puis-je utiliser ces idées ?

_____

_____

_____

_____

_____

_____

_____

_____

_____

_____

_____

_____

Avec qui devrais-je partager ces idées ?

_____

_____

_____

«**Laporte**» de la réussite

La poignée de main :
reflet de la personnalité

À quoi sert la poignée de main? À se saluer, à échanger des germes, à se présenter ou à se faire connaître? Probablement que toutes ces réponses sont bonnes, mais à vrai dire, elle sert surtout à se faire connaître.

Selon vous, est-ce que votre poignée de main reflète votre personnalité, votre type de personne, votre approche de la vie? Nous avons tous déjà donné la main pour retrouver dans la nôtre une main molle ou hésitante qui communique un manque d'assurance…

Pourquoi ne pas « vérifier » l'image que projette votre poignée de main, en demandant à des amis ou à des membres de la famille quelle perception laisse votre « approche » en poignée de main?

En passant, lorsque quelqu'un vous donne la main, il est toujours intéressant de se faire regarder dans les yeux pour voir l'autre, pour « connecter ».

Il est triste de rencontrer quelqu'un qui, lors de la poignée de main, regarde vos souliers… surtout si vous ne les avez pas cirés dernièrement!

Comment puis-je utiliser ces idées ?

_____

_____

_____

_____

_____

_____

_____

_____

_____

_____

_____

Avec qui devrais-je partager ces idées ?

_____

_____

_____

Je suis responsable

Chacun d'entre nous est une personne unique et différente. La grande majorité aime discuter, apprendre, et surtout, avoir raison lors des discussions… Comme adulte et comme personne qui veut apprendre, une règle de base importante s'impose :

« Je suis responsable de mes actes et de leurs résultats : je suis la personne qui peut s'améliorer, je suis la personne qui va grandir de cette situation. »

Il est trop facile de blâmer un confrère, un fournisseur, une assistante, un autre service ou même le temps qu'il fait.

Une personne qui veut réussir, qui veut être respectée, commence par s'assumer, c'est-à-dire par être fière de ses nombreuses victoires, mais aussi accepter les apprentissages. Elle doit manifester qu'elle est responsable.

Ces personnes sont généralement assez faciles à trouver. Ce sont celles qui reçoivent les problèmes des autres, les écoutent, proposent des solutions et donnent de l'énergie pour les régler. Ces personnes ont de la crédibilité, de l'impact.

Elles sont… ce que je souhaite à tous d'être!

Comment puis-je utiliser ces idées ?

Avec qui devrais-je partager ces idées ?

«**Laporte**» de la réussite

La critique : essentielle!

Être critiqué est sans doute une des expériences les plus difficiles au travail. Nous voulons généralement exceller dans ce que nous faisons. Entendre des gens nous critiquer peut nous blesser et affecter notre ego! Pour « passer au travers » et apprendre de ces situations, voici trois points clés :

- Pour recevoir des critiques, il faut généralement avoir agi. Bon début!

- Recevoir un coup de pied moral à l'arrière-train lors de ces critiques démontre clairement qu'on est en avant pour le recevoir. C'est la place du leader!

- Il faut avoir l'intelligence d'écouter et d'apprendre de la situation. Il est impossible de tout accomplir parfaitement.

Ces remarques doivent être perçues comme du coaching, de l'information à considérer pour s'améliorer.

Considérons-nous chanceux d'avoir des personnes qui sont prêtes à prendre de leur temps pour nous aider dans notre travail. Prenons le temps de les écouter jusqu'à la fin, sans être sur la défensive. Et pourquoi ne pas pousser notre cheminement en remerciant l'autre pour ses commentaires?

Comment puis-je utiliser ces idées ?

_____

_____

_____

_____

_____

_____

_____

_____

_____

_____

_____

Avec qui devrais-je partager ces idées ?

_____

_____

_____

Un mot puissant et sous-utilisé!

Comme vous le savez, nous passons des heures et des heures par semaine à notre travail à parler avec des collègues, des clients et des fournisseurs. Nous avons tous nos tâches à accomplir, nos buts à atteindre et même à dépasser.

L'importance des autres dans nos résultats se vérifie dans tous les projets et le travail de bureau. La qualité de notre travail ct nos résultats passent souvent par un travail d'équipe, que l'on pourrait prendre pour acquis… Pensez à la réceptionniste, à la personne qui livre le courrier, à la personne qui fait le ménage, à votre assistante ou même aux agents de sécurité de votre édifice!

Combien de fois prenons-nous le temps de nous arrêter pour leur dire le mot magique : MERCI, un si simple et petit mot, mais qui produit tout un effet.

Un merci pour votre travail, votre aide, votre soutien…

N'hésitez pas à utiliser ce mot, ct vous verrez augmenter le nombre de sourires des gens autour de vous.

Tous – vous y compris – se sentiront valorisés!

Comment puis-je utiliser ces idées ?

Avec qui devrais-je partager ces idées ?

Pour briser la glace
12 mois par année !

On se retrouve souvent à des soirées d'affaires où l'on peut se sentir bien seul si on ne prend pas le temps de rencontrer d'autres participants.

Voici une liste de sujets qui nous permettent de briser la glace et surtout de poursuivre la discussion après avoir mentionné votre nom et celui de votre compagnie :

Évidemment, le temps qu'il fait,
- La qualité de la soirée
- La raison de votre présence à cette soirée
- Les résultats sportifs
- Vos passe-temps
- Les nouveaux restaurants visités dernièrement
- Les nouveaux films ou les lectures qui vous ont marqué
- Le prix de l'essence
- Votre passion dans la vie
- Les événements culturels dans la ville…

Le but est de créer des liens, de s'apprivoiser mutuellement, de trouver des terrains communs, qui permettront de mieux se connaître et même d'envisager de faire « des affaires » ensemble.

Comment puis-je utiliser ces idées ?

Avec qui devrais-je partager ces idées ?

Écouter pour comprendre

Dans beaucoup de discussions, les participants émettent des idées parallèles sans considérer ce qu'expriment les autres personnes. Plusieurs personnes préparent leur réponse pendant que l'autre personne explique son point de vue. Comment pouvons-nous honnêtement écouter et comprendre l'interlocuteur si nos cerveaux travaillent à structurer des réponses?

Prenons le temps d'écouter ce que l'autre personne dit, pour comprendre son idée, son point de vue.

À la suite de cette écoute, il est temps de penser à notre réponse. Elle sera plus précise et prendra en considération les commentaires qui ont été faits.

Cette méthode d'écoute nous permet d'apprendre de l'autre et de faire avancer le débat. Elle démontre un respect envers la personne et ses idées, sans pour autant être en accord avec elle.

En conclusion, les participants se sentiront plus appréciés et ils contribueront davantage aux résultats recherchés.

Comment puis-je utiliser ces idées ?

_____

_____

_____

_____

_____

_____

_____

_____

_____

_____

_____

_____

Avec qui devrais-je partager ces idées ?

_____

_____

_____

Moi, j'aime le lundi

Dimanche soir arrive et il est temps de préparer la journée du lendemain, le fameux lundi matin. En commençant à nous préparer la veille, nous pouvons — en toute tranquillité — revoir notre agenda de la semaine à venir, préparer les vêtements du lendemain et réviser les activités au programme.

En créant une certaine routine du dimanche soir, nous nous préparons mentalement et physiquement à cette journée bien spéciale.

Pourquoi devons-nous faire cela pour le lundi?

Simplement parce que cette journée donnera le ton à tout le reste de ma semaine. Commencez votre semaine à reculons et vous verrez que le week-end prochain sera très loin!

La préparation psychologique qui mène au lundi matin nous rend « d'attaque » pour reprendre le collier et faire face aux défis qui nous attendent.

Comment puis-je utiliser ces idées ?

_____

_____

_____

_____

_____

_____

_____

_____

_____

_____

_____

Avec qui devrais-je partager ces idées ?

_____

_____

_____

D'un ami anglais

What you focus on, expands.

Si l'on décide de s'attaquer à un problème pour VRAIMENT le régler, il deviendra le sujet principal de nos préoccupations. En mettant les efforts nécessaires et surtout le temps pour y arriver, le problème sera compris et pourra probablement être réglé.

Si vous avez des problèmes avec vos finances, prenez le temps, une fois par semaine, de faire votre bilan; calculez vos dépenses, vos revenus, et lisez pour trouver des outils de planification. Ainsi, vous allez poser les bonnes actions pour améliorer votre situation financière par vos nouvelles connaissances et surtout par l'attention accordée aux problèmes.

Vous aurez aussi la confiance nécessaire (et les mots) pour demander de l'aide et pour parler à des spécialistes qui pourront vous aider, comme votre banquier ou un planificateur financier.

En classant vos problèmes par priorité, vous pourrez y faire face, et en plus, vous augmenterez vos connaissances.

Ces connaissances seront là pour la vie.

Comment puis-je utiliser ces idées ?

_____

_____

_____

_____

_____

_____

_____

_____

_____

_____

_____

Avec qui devrais-je partager ces idées ?

_____

_____

_____

Atteindre ses buts

Je crois qu'il est essentiel de nous fixer des buts à atteindre, autant au bureau, en couple, que dans notre cheminement personnel. Il faut prendre le temps de décortiquer les étapes, qui nous amèneront à la destination finale, et de nous créer des buts tout au long de la démarche.

Pourquoi nous créer des buts à atteindre, des étapes intermédiaires?

Pour deux raisons, selon moi :

• Pour mesurer notre cheminement, la vitesse de notre progression.

• Pour déterminer d'une façon claire et précise si le but fixé est complètement atteint.

Lorsque cette étape est franchie, il est bon de nous trouver une récompense, un petit cadeau pour fêter le chemin parcouru.

Un plan de rémunération pour vendeurs comprend des commissions pour encourager la vente et reconnaître le succès. Je considère qu'il est plus intéressant encore d'avoir des buts précis à atteindre dans nos propres vies, chaque étape étant marquée par des satisfactions personnelles, des récompenses qui nous donneront le goût de continuer vers les prochaines étapes du cheminement.

Comment puis-je utiliser ces idées ?

_____

_____

_____

_____

_____

_____

_____

_____

_____

_____

_____

Avec qui devrais-je partager ces idées ?

_____

_____

_____

Pour rester amis!

Faire des affaires, être en affaires, avoir son entreprise, cela correspond aux rêves de plusieurs personnes : l'entrepreneurship, la créativité, la passion de se relever les manches et de faire avancer les choses. Que de beaux projets, que de beaux rêves!

Ces rêves, comme tout but à atteindre, ont un prix : le temps à y consacrer, les investissements à y faire, la santé à y laisser, les relations humaines à diminuer...

Plusieurs livres existent sur ce sujet pour nous aider dans l'approche. À ce sujet, un commentaire d'un professeur de l'Université Queen m'a particulièrement fait réfléchir :

« La famille, c'est la famille; les amis sont les amis; la business, c'est la business. Pour être heureux et diminuer les problèmes, ne les mélangez jamais. »

Ce conseil est évidemment plus simple à donner qu'à mettre en pratique. Si vous l'acceptez, il vous semblera très sage. En le mettant en pratique, vous pourrez vous éviter bien des soucis.

---

(2) Référence : voir p.185

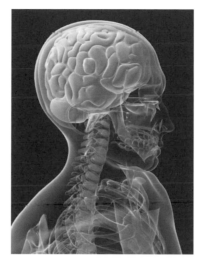

Le côté humain

Comment puis-je utiliser ces idées ?

Avec qui devrais-je partager ces idées ?

Apprendre : de qui? comment?

Plusieurs des personnes que j'ai rencontrées aiment me parler de leur cheminement de carrière. C'est toujours très intéressant. Pour ceux qui désirent suivre leur exemple, par où faut-il commencer?

Pourquoi pas par un bon livre qui peut vous aider dans votre cheminement? Comme vous le constaterez en vous promenant dans la section affaires d'une librairie, à peu près tous les sujets semblent intéressants.

J'ai, pour ma part, bien aimé les ouvrages sur l'organisation du temps, la gestion des priorités et sur les différents secrets pour bien organiser son bureau et sa journée. Les livres sur les facteurs humains qui influencent les prises de décision et ceux qui traitent de l'organisation des rencontres sont aussi nombreux qu'intéressants.

Ce qu'il faut se rappeler, c'est qu'il y a sans doute un livre qui porte sur les différents problèmes qu'on rencontre dans sa vie. Pourquoi ne pas profiter de l'expérience des autres en lisant pour apprendre et cheminer?

Étant donné que vous lisez déjà ces rubriques, la lecture fait sans doute partie de vos habitudes.

Bonne lecture et bonnes découvertes!!!

Comment puis-je utiliser ces idées ?

_____

_____

_____

_____

_____

_____

_____

_____

_____

_____

_____

_____

Avec qui devrais-je partager ces idées ?

_____

_____

_____

Connaître, se faire connaître

Autant au bureau, à l'usine qu'à l'université, nous avons avantage à nous faire connaître positivement, ainsi qu'à mieux connaître les autres.

Pourquoi? Premièrement, pour apprendre des autres. En rencontrant plusieurs personnes, vous aurez une meilleure compréhension de votre milieu de travail, des intervenants et des buts à atteindre.

Deuxièmement, pour expliquer votre cheminement et vos succès. C'est une bonne façon d'élargir votre réseau de contacts, ce que plusieurs appellent du P.R. Maintenant, comment y arriver?

Dans son livre **Never Eat Alone***, l'auteur Keith Ferrazzi, suggère de profiter des heures de repas pour développer son réseau de contacts. Quelle bonne idée, sachant que cela peut se faire au petit déjeuner (souvent moins dispendieux), durant le lunch au bureau ou en soirée pour les situations plus conventionnelles.

Dans ce genre de rencontres, il est aussi important de recevoir que de donner. La personne avec qui nous partageons notre repas doit se sentir écoutée et appréciée avant d'être disposée à se révéler, à s'ouvrir.

C'est probablement pourquoi nous avons deux oreilles et une seule bouche. Pour écouter deux fois plus!

(3) Référence : voir p.185

Comment puis-je utiliser ces idées ?

Avec qui devrais-je partager ces idées ?

Habit, cravate ou sport ?

Nous sommes chanceux d'avoir plusieurs saisons dans notre pays. En plus de créer de nombreuses couleurs à l'extérieur, ces changements climatiques de saisons amènent des choix d'habillement pour le bureau. Dans tous nos choix de tenue vestimentaire, quels critères utiliser pour être à la hauteur de la situation? Voici l'approche :

Premièrement, avoir une discussion avec le personnel qui vous entoure lors de votre arrivée dans une nouvelle compagnie pour comprendre les coutumes de l'endroit. Une banque sera bien différente d'un concessionnaire automobile.

Deuxièmement, regarder autour de vous pour constater quel style de vêtements est jugé régulier ou normal. Le but est de vous intégrer à l'environnement pour briller par vos résultats de travail et non par votre tenue vestimentaire. Pensez aussi à vous habiller en fonction des gens que vous allez rencontrer cette journée-là : si vous rencontrez un haut dirigeant, vous porterez le veston et la cravate; par contre si vous visitez un centre d'appels où les gens sont dans un environnement plus détendu, vous porterez le polo ou la chemise sans cravate.

Dans l'habillement, il faut s'adapter en sachant que cela aussi fait partie de l'image que l'on projette, donc de ce que l'on est!

Comment puis-je utiliser ces idées ?

_____

_____

_____

_____

_____

_____

_____

_____

_____

_____

_____

_____

Avec qui devrais-je partager ces idées ?

_____

_____

_____

«**Laporte**» de la réussite

Les congrès, les formations, les célébrations reliées au bureau

Certains d'entre nous ont la chance de participer à plusieurs événements organisés par leur bureau : formation technique, professionnelle, célébrations des résultats de ventes ou, simplement, le départ d'un collègue. En tout temps, lorsque nous sommes entourés de collègues de travail, il faut nous rappeler le point suivant : nous sommes entourés de collègues de travail!

Donc, ils seront au bureau et, comme chaque semaine, nous passerons plusieurs heures en leur compagnie. Chacun d'entre eux aura des souvenirs, positifs ou négatifs, de ma participation à la rencontre, au voyage ou au party.

Combien d'entre nous se rappellent le voyage où monsieur X a abusé de consommations pour danser en dérangeant tous ses collègues et en finissant par être malade, ou encore le collègue qui a fêté en grand et qui a manqué toute la formation du lendemain, ce qui était le but du voyage?

Dans ces situations, il est important de nous rappeler que nous sommes avec des collègues de travail et souvent des supérieurs hiérarchiques…

Quels seront leurs souvenirs de votre dernière performance en voyage?

Comment puis-je utiliser ces idées ?

Avec qui devrais-je partager ces idées ?

Le bon party de fin d'année

Plusieurs ont bien hâte à cette soirée tant méritée et si bien planifiée. C'est le moment de célébrer les bons résultats entre collègues, le travail de toute une année, ainsi que le début d'une autre.

Il faut prévoir la nouvelle robe, la coiffure, le nouvel habit ou du moins, la nouvelle cravate. La fête arrive. C'est le temps de célébrer avec des gens avec qui vous travaillez aujourd'hui et avec qui vous voulez travailler dans le futur.

Si vous êtes le patron, prenez donc le temps de faire le tour de la salle pour saluer vos employés, les remercier pour le travail accompli et aussi pour vous faire connaître sous un nouveau jour. Cette délicatesse sera remarquée et appréciée par les personnes à qui vous vous adresserez.

Si vous êtes un employé, c'est un bon moment pour remercier vos confrères et consœurs des autres départements, et tous ceux qui vous aident au quotidien. Et pourquoi pas une poignée de main aux patrons avant d'aller au bar?

La soirée est à vous. Profitez-en pleinement en sachant que vous reverrez tout ce beau monde au bureau dans quelques jours.

Comment puis-je utiliser ces idées ?

_____

_____

_____

_____

_____

_____

_____

_____

_____

_____

_____

_____

Avec qui devrais-je partager ces idées ?

_____

_____

_____

Le moins bon party de fin d'année

Dites-vous que le party de fin d'année peut représenter pour vous plusieurs pièges. Ils sont faciles à éviter, quoique coûteux si on vous voit y tomber.

En voici quelques-uns!

L'habillement : je suggère de vous habiller pour être chic « à votre manière », c'est-à-dire ce qui correspond à votre environnement, pourvu que vous soyez à l'aise.

Il est important de profiter de la soirée, mais de le faire d'une manière qui respecte les autres, et cela, du début de la soirée jusqu'à la fin. Le respect, c'est aussi envers les personnes qui vous entourent : il faut montrer que vous les appréciez, sans devenir encombrant.

Attention aux trop nombreuses consommations, à la critique des autres départements. Attention à ne pas vous donner en spectacle sur le plancher de danse…

Il faut aussi vous rappeler que les dirigeants, patrons, confrères et consœurs sont dans la salle. Ces personnes vous regardent et apprécient que vous ayez du plaisir sans dépasser les limites de l'acceptable.

Comment puis-je utiliser ces idées ?

_____

_____

_____

_____

_____

_____

_____

_____

_____

_____

Avec qui devrais-je partager ces idées ?

_____

_____

_____

Les ascenseurs et les lieux publics

Je suis toujours surpris des conversations que nous entendons dans les ascenseurs ou dans les lieux publics. Il est étonnant d'entendre parler de l'entreprise, de commentaires sur le directeur du service ou la réceptionniste…

Il est important de vérifier votre environnement avant de commencer une conversation qui concerne le travail. Cela est vrai autant dans l'ascenseur, au restaurant, à la pause café que dans les toilettes. Combien de commentaires plus ou moins élogieux effectués au mauvais endroit ont eu un impact négatif sur la carrière de certains employés?

Pensons-y bien. Est-ce que cela vaut la peine de risquer notre emploi pour des commentaires de la sorte, aussi justes soient-ils…?

« Ai-je vraiment avantage à faire ce commentaire? »

Je dois aussi me rappeler que c'est mon devoir de protéger du public l'information sur la compagnie dans les ascenseurs, dans les restaurants, sans oublier la petite serviette de table où j'ai écrit un résumé du plan d'affaires.

Travaillons ensemble à préserver l'information et aussi la dignité de chacun. C'est bon pour chacun d'entre nous.

Comment puis-je utiliser ces idées ?

_____

_____

_____

_____

_____

_____

_____

_____

_____

_____

_____

_____

Avec qui devrais-je partager ces idées ?

_____

_____

_____

Pourquoi devrais-je?

Nos amis anglophones ont parfois des expressions difficiles à traduire ou des abréviations uniques qui peuvent être très intéressantes. C'est le cas du *WIIFM* ou plutôt le *What's In It For Me*!

Cette formule pose une question simple :

« Pourquoi devrais-je agir, ou participer à une activité pour une personne, une entreprise ou une équipe? Quels sont les avantages, les bénéfices que j'en tirerais? »

À partir de cette expression, *WIIFM*, il est intéressant de se souvenir de toujours considérer l'intérêt de la personne à qui l'on parle, pour notre projet ou notre demande d'aide. Demandons-nous pourquoi cette personne devrait nous aider, quel bénéfice en tirera-t-elle?

C'est à nous de bien présenter notre projet ou notre demande pour faire comprendre à cette personne tous les bénéfices qu'elle pourra en retirer. En vous rappelant ce mot magique, pensez à bien structurer votre demande d'aide en considérant l'autre personne.

C'est à vous de vous faire comprendre, c'est vous qui devrez vous mettre dans les souliers de l'autre.

Comment puis-je utiliser ces idées ?

_____

_____

_____

_____

_____

_____

_____

_____

_____

_____

_____

Avec qui devrais-je partager ces idées ?

_____

_____

_____

«**Laporte**» de la réussite

La négociation au magasin

Plusieurs personnes aiment la négociation, l'échange avec les vendeurs. Cela permet de tester l'autre, de voir ses techniques de vente et d'apprécier les talents d'un bon vendeur.

Cependant, pour la grande majorité des gens, faire face à un vendeur est souvent pire qu'un rendez-vous chez le dentiste. Ils préfèrent se faire arracher une dent plutôt que se faire arracher le porte-monnaie...

Voici un petit truc qui permettra de faire face aux vendeurs et peut-être même d'économiser...

Il suffit de faire une négociation normale, en écoutant la présentation du vendeur : l'intérêt du produit, la garantie, etc. Après que cette personne vous aura présenté ce qu'elle considère un bon prix, posez la petite question suivante : « Est-ce là votre meilleur prix? »

Vous serez surpris du nombre de fois qu'un vendeur pourra encore baisser son prix.

Essayez ce petit truc : il est simple et il pourrait vous faire économiser. En plus, vous aurez eu gratuitement l'occasion d'observer les techniques de vente d'un représentant.

Comment puis-je utiliser ces idées ?

_____

_____

_____

_____

_____

_____

_____

_____

_____

_____

_____

_____

Avec qui devrais-je partager ces idées ?

_____

_____

_____

Seriez-vous réengagé aujourd'hui?

Une question pour vous : Si vous postuliez l'emploi que vous occupez présentement, seriez-vous un des candidats vedettes ou simplement un candidat potentiel parmi plusieurs autres?

Comme vous le savez, le marché du travail évolue beaucoup et rapidement. Nous devons toujours parfaire nos connaissances pour rester au niveau requis dans notre emploi. Alors, imaginons les nouveaux arrivants qui ont passé les dernières années de leur vie à étudier les nouvelles techniques de travail. Ces personnes ont évidemment moins d'expérience, mais…

Si la réponse à la question est que vous ne seriez qu'un candidat potentiel, il est grand temps pour vous de travailler à votre employabilité, c'est-à-dire de développer vos connaissances, votre approche, vos techniques pour assurer et améliorer votre avenir dans votre compagnie.

Il est important de se poser la question chaque année et d'y répondre honnêtement. La réponse pourrait nous encourager à participer à une formation ou simplement à faire de la lecture pertinente au domaine à améliorer.

Bon travail!

Comment puis-je utiliser ces idées ?

_____

_____

_____

_____

_____

_____

_____

_____

_____

_____

Avec qui devrais-je partager ces idées ?

_____

_____

_____

Les conflits de bureau

Le conflit est un risque omniprésent dans les milieux de travail, car il y a… des humains. Lorsqu'il y a des personnes comme vous et moi, eh bien, nous voulons tous avoir raison et gagner notre point… De là, la création du conflit. Considérant qu'un conflit est généralement un différend entre deux personnes d'intelligence équivalente, il est à se demander pourquoi nos conclusions sont si différentes?

Je suggère, pour faciliter la résolution d'un conflit, de retourner à la base du problème, c'est-à-dire de revoir ensemble les faits qui sont irréfutables pour les deux intervenants. Suite à ce retour au point de départ, il deviendra plus facile de trouver un terrain d'entente, une piste qui permettra à chacun de trouver une solution, un compromis acceptable.

À la toute fin, il faut se poser la question : « Ai-je vraiment gagné la partie… ou ai-je gâté une relation? »

Comment puis-je utiliser ces idées ?

_____

_____

_____

_____

_____

_____

_____

_____

_____

_____

_____

_____

Avec qui devrais-je partager ces idées ?

_____

_____

_____

J'ai un secret pour vous

Nous aimons tous nous confier, avoir l'écoute d'une autre personne pour partager nos problèmes, nos découvertes et même certains potins de bureau. Ces situations sont toujours délicates, car une personne vous a fait confiance en vous divulguant de l'information importante pour elle. Par contre, si cette information était déjà confidentielle et que, malgré tout, elle vous en a révélé le contenu, comment alors avoir confiance en cette personne qui ne protège pas l'information?

Cette façon de communiquer est bien réelle en entreprise.

Pour éviter des situations délicates, il est important de partager ce genre d'information UNIQUEMENT avec ceux qui doivent être mis au courant pour participer à une discussion ou à la prise de décision.

Si vous voulez garder vos amis (es) au travail et surtout être professionnel, diminuez les confidences, les secrets qui ont le potentiel de créer des conflits en milieu de travail.

Et ceci n'est pas un secret!

Comment puis-je utiliser ces idées ?

_____

_____

_____

_____

_____

_____

_____

_____

_____

_____

Avec qui devrais-je partager ces idées ?

_____

_____

_____

Aidez-moi à vous parler

Un article de journal en psychologie disait que la plus belle mélodie pour une personne était d'entendre son nom dans une conversation. Notre ego est rassuré et nous savons que nous « existons ».

Nous rencontrons des dizaines et des dizaines de personnes chaque semaine à des endroits différents.

Il m'est arrivé souvent, même trop souvent, de rencontrer une personne dont je reconnaissais le visage, mais dont je n'avais aucune idée du nom… Pire encore, une personne m'appelle par mon prénom, et je n'ai pas le moindre souvenir d'elle.

Il serait intéressant de prendre l'habitude d'aider notre interlocuteur à se souvenir de nous et des circonstances de notre rencontre :

« Bonjour, je suis Pierre Tremblay ; je vous ai rencontré à la réception de mariage de votre cousine à Saint-Sauveur et je travaille dans le domaine de l'informatique. »

En offrant toutes ces informations, vous facilitez grandement la conversation.

Bonne rencontre !

Comment puis-je utiliser ces idées ?

Avec qui devrais-je partager ces idées ?

S'adapter aux clients

Nous sommes tous différents autant par nos goûts et notre approche que par nos besoins. L'approche *One Size Fits All* est de moins en moins appréciée.

Dernièrement, j'ai visité un magasin d'électronique à grande surface avec mon fils. Lorsque nous sommes arrivés au rayon des ordinateurs (but de notre visite), le représentant disponible m'approcha en me disant « Salut mon chum » en me mettant la main sur l'épaule! Puis-je vous dire qu'il n'a pas complété sa vente… et, à la sortie du magasin, mon garçon a mentionné : « Je ne pense pas qu'il s'y est pris de la bonne façon! »

Cette anecdote montre qu'il faut s'ajuster à son client, à son auditoire et à son environnement. Comme vendeur, comme communicateur, comme gestionnaire, on doit ajuster son approche, son vocabulaire et ses gestes en fonction de la personne à qui l'on parle.

Agir ainsi démontre du respect et un certain niveau de professionnalisme. J'aurai ainsi de meilleurs résultats, je serai un meilleur communicateur et surtout, je pourrai m'adresser à un plus vaste auditoire.

Comment puis-je utiliser ces idées ?

_____

_____

_____

_____

_____

_____

_____

_____

_____

_____

_____

Avec qui devrais-je partager ces idées ?

_____

_____

_____

Honnête avec son client

Permettez-moi de vous raconter une petite histoire vécue…

Un hôtel du Québec où j'organise des réunions depuis plus de quinze ans est en pleines rénovations. Entre-temps, nous faisons des réservations pour une rencontre de groupe. Cependant, le directeur des banquets décide de ne pas nous parler des travaux en cours, ni du fait que la salle à manger est temporairement fermée, que tous les repas seraient servis dans des salles de conférence et que la nourriture y serait apportée dans des réchauds.

Dans cet exemple, je considère que le directeur des banquets n'a pas été honnête envers moi (ma compagnie), en cachant la situation réelle et les inconvénients que nous allions vivre.

Depuis cet épisode, je n'ai plus remis les pieds dans cet hôtel.

Conclusion :

Il est très important de penser long terme dans nos relations clients pour les garder malgré les hauts et les bas du marché. Si l'on n'est pas honnête envers eux, pourquoi devraient-ils nous rester fidèles?

Une relation est à deux sens!

Comment puis-je utiliser ces idées ?

_____

_____

_____

_____

_____

_____

_____

_____

_____

_____

_____

_____

Avec qui devrais-je partager ces idées ?

_____

_____

_____

Le rêve *versus* le plan

Avez-vous déjà rêvé les yeux ouverts? Avez-vous pensé à ce que vous voulez faire dans un an, dans cinq ans? Avez-vous rêvé à votre succès, rêvé à votre carrière, ou même rêvé à une belle voiture? Alors, pourquoi ne pas passer du rêve inatteignable au plan pour y arriver? C'est plus simple que vous ne le pensez : il vous faut deux choses de plus que votre rêve : un papier et un crayon.

Comment débuter?... En écrivant sur une feuille une date ultérieure de 12 mois à aujourd'hui et en créant 3 colonnes à remplir : travail, famille, moi.

Le but de l'exercice consiste à vous projeter dans le temps, douze mois plus tard, pour décrire ce que vous avez accompli. Sur cette feuille, sous ces trois colonnes, écrivez vos buts, vos attentes, vos désirs. Pour le travail, déterminez le salaire que vous voulez obtenir, les façons d'y arriver et les efforts s'y rattachant.

Voyez cette feuille comme un plan de travail personnel ou même comme un « Moi inc. » : votre plan est comme si vous étiez la compagnie. Lorsque l'exercice sera complété (et même partagé avec quelqu'un à la maison) recommencez-le, mais avec un horizon de 5 ans...

Pour plus d'informations, visitez mon site internet :
www.laportedelareussite.com

Comment puis-je utiliser ces idées ?

_____

_____

_____

_____

_____

_____

_____

_____

_____

_____

_____

Avec qui devrais-je partager ces idées ?

_____

_____

_____

Prendre le temps de réfléchir !

Le temps passe de plus en plus vite et nous cheminons dans un tourbillon d'activités. Nous devons prendre des décisions importantes, et cela, plus souvent et plus rapidement que par le passé. Allons-nous faire le bon choix ? Avons-nous toutes les informations nécessaires pour y arriver ?

Dans les situations importantes, celles qui vous affecteront longtemps ou de grande importance, il est essentiel de prendre le temps de réfléchir, de penser, de peser le pour et le contre. Pourquoi ne pas prendre une heure, ou même une journée pour faire le point, pour prendre un peu de recul ?

Vous pouvez pendant ce délai consulter une personne ressource pour recevoir quelques conseils, naviguer sur Internet pour compléter vos informations ou simplement vivre quelques heures avec votre décision, pour « sentir » votre niveau de satisfaction. Permettez-vous de réfléchir pour être satisfait de votre décision.

C'est un pensez-y bien

Comment puis-je utiliser ces idées ?

_____

_____

_____

_____

_____

_____

_____

_____

_____

_____

_____

Avec qui devrais-je partager ces idées ?

_____

_____

_____

«**Laporte**» de la réussite

Frais et dispo!

Contrairement aux travailleurs de la construction, qui ressentent de la fatigue musculaire dans leur corps à la fin d'une journée de travail, les travailleurs de bureau ne ressentent pas ce genre de fatigue physique. Est-ce que cela veut dire qu'ils peuvent travailler douze heures par jour sans avoir de baisse de productivité, tout en étant toujours au meilleur de leurs capacités? Évidemment, non!

Les répercussions du stress et de la fatigue sont beaucoup plus difficiles à percevoir. Nous pouvons sûrement les combattre par un ou des cafés, des boissons gazeuses, ou mieux encore, par des marches à l'extérieur ou de grandes respirations en profondeur. Comme toute machine, notre corps ne peut dépasser certaines limites.

En repoussant ses limites, nous mettons à risque non seulement notre niveau de compréhension, mais la qualité de nos décisions et notre santé. En plus, en travaillant des heures prolongées à répétition, nous négligeons bien plus que notre santé – nous négligeons notre famille et nos amis. Alors, trouvons notre plage de travail idéale pour être frais et dispos.

Il est de notre responsabilité de l'exploiter avec rigueur et discipline sans oublier les autres joies de la vie!

Comment puis-je utiliser ces idées ?

_____

_____

_____

_____

_____

_____

_____

_____

_____

_____

_____

Avec qui devrais-je partager ces idées ?

_____

_____

_____

Gagner le respect des autres malgré votre manque de connaissance

Nous avons tous assisté à des réunions où certains participants répondaient à des questions sans être au fait du sujet, uniquement pour préserver leur image, leur ego. Malheureusement, la majorité des autres participants « voient » très bien leur jeu et perdent de l'estime pour ces participants.

Lors de réunions, d'appels conférences ou même de discussions à la maison, il est important de répondre honnêtement avec les connaissances que nous avons. Il est normal de ne pas tout savoir et il est « admirable » de l'avouer.

Selon moi, il faut garder sa crédibilité à long terme en expliquant qu'on ne connaît pas une réponse plutôt qu'en inventer une. Sinon, on prend le risque d'inventer une autre réponse, qui pourrait être différente la fois suivante.

Après un humble aveu d'ignorance, il est important pour vous de faire un suivi, c'est-à-dire de trouver la vraie réponse et de la communiquer au même groupe.

En utilisant cette approche, vous êtes honnête, vous démontrez de la crédibilité et donnez l'exemple à toute votre équipe de « comment faire un suivi ».

Comment puis-je utiliser ces idées ?

_____

_____

_____

_____

_____

_____

_____

_____

_____

_____

_____

Avec qui devrais-je partager ces idées ?

_____

_____

_____

Où puiser mon énergie?

Toutes les journées comptent 24 heures et toutes les semaines ont 7 jours : un total de 168 heures pour des activités. Comment se fait-il que, avec le même nombre de jours et d'heures pour chacun, certaines personnes sont resplendissantes, travaillent avec le sourire, et que d'autres semblent combattre la vie?

Certaines approches pourraient pourtant aider ces personnes. Regardez dans votre entourage… Voyez-vous quelqu'un qui peut vous motiver, vous aider dans vos démarches, vous conseiller, et qui serait heureux de vos résultats, ou vous semble-t-il que l'entourage est plutôt négatif envers vous et qu'il cherche à vous dévaloriser, à vous rabaisser?

Pour performer, je crois qu'il est important de tirer de l'énergie de son entourage, d'y trouver des exemples de réussite ou, du moins, d'encouragement et de support.

Offrez-vous ce luxe si vous ne l'avez pas. Si votre entourage ne vous encourage pas à vous dépasser, trouvez-vous quelqu'un ailleurs (autre service, voisin, ancien patron), qui pourra vous donner ce petit soleil qui permet de grandir de l'intérieur.

Comment puis-je utiliser ces idées ?

Avec qui devrais-je partager ces idées ?

La compétition

Nous sommes dans un monde où la concurrence est féroce. Le prix des services et des produits est généralement influencé par nos compétiteurs. De plus, la compétition nous oblige à nous améliorer et à innover. Il est toujours risqué de ne pas connaître les concurrents ou, pis encore, de croire qu'il n'y a pas de concurrence.

Souvent, la compétition provient de technologies ou de services totalement différents : l'automobile remplace la calèche, l'Internet fait concurrence à la télévision et le baladeur, à la radio.

Pour bien voir d'où viendra notre prochain adversaire, il faut avoir des antennes, des contacts dans l'industrie qui comprennent bien les tendances, les changements majeurs qui influencent notre domaine. Pour y arriver, il est important d'assister à des conférences spécialisées, à des colloques, à des congrès sans oublier la lecture touchant notre domaine de travail.

Une chose est certaine, il faut toujours respecter ses compétiteurs. Qui sait, peut-être travaillerons-nous ensemble un jour, à l'occasion d'une nouvelle technologie ou d'une acquisition!

Comment puis-je utiliser ces idées ?

Avec qui devrais-je partager ces idées ?

Avec l'aide de ma famille

Nous passons beaucoup de temps au bureau et faisons face à des situations importantes. Pour arriver à une vie équilibrée entre le travail, la famille et nous-mêmes, il faut partager, avec les gens qui nous entourent à la maison, certaines facettes de ce que nous vivons au bureau, celles qui nous affectent plus que d'autres.

Le but de cette communication n'est pas de revivre ces moments plus ou moins difficiles, mais de partager nos préoccupations, de faire connaître aux gens que l'on aime, ce que nous vivons dans un autre secteur de notre vie.

Évidemment, toute information confidentielle doit le rester, et il peut être utile de ne pas mentionner de noms pour ne pas créer des situations délicates entre vos proches et vos confrères de bureau. Ceci étant dit, vous serez surpris du soutien que vous recevrez, ainsi que des conseils pertinents qui pourront vous aider dans ce que vous vivez. En plus, vous aurez fait entrer dans votre quotidien au travail une personne qui est importante pour vous.

Vous verrez, cette personne vous sera reconnaissante.

La gestion du temps

Comment puis-je utiliser ces idées ?

_____

_____

_____

_____

_____

_____

_____

_____

_____

_____

Avec qui devrais-je partager ces idées ?

_____

_____

_____

L'extraordinaire café du matin !

Avez-vous déjà remarqué le comportement de la majorité des gens qui prennent leur premier café du matin?

La tasse à la main, l'amateur de ce produit magique parcourt les corridors à la recherche d'un regard, peut-être le vôtre, alors que vous êtes assis à votre bureau.

À ce moment, la personne va généralement s'arrêter et s'asseoir face à vous pour vous parler de choses, qui vous intéressent plus ou moins, et cela, jusqu'à la dernière goutte de son café.

Pour ne pas avoir à subir cette situation le matin, et ainsi gagner plusieurs minutes précieuses, je recommande, si possible, de ne pas orienter votre bureau vers la porte d'entrée. De cette manière, vous n'aurez pas à croiser les regards des buveurs de café!

Une autre façon de gérer votre temps consiste à proposer à cette personne une rencontre plus tard dans la journée AVANT qu'elle ne s'assoie à votre bureau.

Vous aurez toujours l'occasion de reprendre la conversation à l'heure du midi et vous aurez ainsi protégé votre temps précieux du matin pour gérer vous-même votre horaire et votre vie...

Comment puis-je utiliser ces idées ?

_____

_____

_____

_____

_____

_____

_____

_____

_____

_____

Avec qui devrais-je partager ces idées ?

_____

_____

_____

Être à l'heure

Généralement, les gens agissent au travail, comme dans la vie de tous les jours. Une personne qui sera en retard aux réunions du bureau risque d'être en retard aux réunions de famille, au souper de groupe et même chez ses clients.

Il est important de comprendre qu'être en retard à une rencontre ou à une réunion pénalise tout le groupe et peut démontrer un certain niveau d'insouciance, ou du moins un manque de considération pour le groupe.

En arrivant en retard à une rencontre de huit personnes, je pénalise les sept autres, autant par mon manque de participation que par le retard que j'inflige à l'ensemble.

Notre temps, comme individu, est aussi important que le temps de chacune des personnes dans cette salle. Je vous conseille donc d'être plus qu'à l'heure, c'est-à-dire d'arriver quelques minutes avant la rencontre, pour être prêt à y participer dès le début. Par respect pour les participants présents, je suggère toujours de commencer la rencontre à l'heure, en fermant la porte de la salle à l'heure prévue pour le début de la rencontre.

Cela démontre de l'organisation et du respect pour le travail d'équipe.

Comment puis-je utiliser ces idées ?

_____

_____

_____

_____

_____

_____

_____

_____

_____

_____

_____

Avec qui devrais-je partager ces idées ?

_____

_____

_____

Choisir ses batailles

Il est trop facile de critiquer les projets des autres si nous ne sommes pas impliqués dans ceux-ci. Il est normal de penser à d'autres approches ou même à plusieurs suggestions pour rendre les choses « plus conformes à notre manière ». En général, la façon pour que les choses soient faites exactement selon notre méthode est de les faire nous-mêmes, ce qui va à l'encontre de la délégation et de la croissance de soi (ouverture) et de celles des autres.

Lorsque vient le moment de critiquer ou de s'opposer à un projet, idée ou activité, il est important de choisir ses batailles, c'est-à-dire de combattre ce que nous considérons comme étant à l'encontre de nos valeurs, celles de la compagnie, ou tout autre projet qui pourrait créer un risque majeur pour la compagnie, les clients ou les employés. Choisir ses batailles, c'est aussi laisser passer certains points qui ne sont pas nécessairement à notre goût, mais qui ne sont pas importants dans une perspective plus globale, ou à plus long terme.

En agissant ainsi, vous limitez les discussions et surtout, vous préservez vos relations avec vos confrères et consœurs, ce qui représente un aspect beaucoup plus prioritaire que de gagner une discussion.

Comment puis-je utiliser ces idées ?

_____

_____

_____

_____

_____

_____

_____

_____

_____

_____

_____

Avec qui devrais-je partager ces idées ?

_____

_____

_____

Les vacances, le repos

La vie va de plus en plus vite, et nous devons nous ajuster en améliorant nos connaissances et notre performance. La machine humaine peut être bien rodée, mais elle a besoin de temps d'arrêt. Il est important de lui donner du repos bien mérité : les vacances.

À ce sujet, mon message est clair :

Prenez vos vacances. Elles vous aideront à recharger vos batteries, à penser à autre chose, et même à vous donner de nouvelles perspectives sur vos défis quotidiens.

Lorsque vous êtes en vacances, profitez-en à 100 %, c'est-à-dire profitez de chaque minute avec la famille, les proches, les amis. Oubliez pour quelques jours, l'assistant personnel, les courriels ou le répondeur.

Ce temps est à vous… Faites-vous le cadeau d'en profiter, de changer votre quotidien pour ainsi apprécier ce qui vous entoure, chose que l'on fait rarement dans sa routine.

En profitant pleinement de cette période qui est à vous, vous prendrez soin d'une personne très importante, vous; en plus, vous reviendrez en forme pour… lire d'autres de mes chroniques!

Bonnes vacances!

Comment puis-je utiliser ces idées ?

_____

_____

_____

_____

_____

_____

_____

_____

_____

_____

_____

Avec qui devrais-je partager ces idées ?

_____

_____

_____

Reculer pour avancer...

Il est surprenant de remarquer comment la planification — c'est-à-dire un recul pour analyser ce qui devrait être important dans les jours à venir — peut aider à obtenir des résultats extraordinaires.

Lorsque nous planifions un voyage en famille, nous déterminons la route à prendre et le temps pour arriver à destination. Un budget pour l'essence, l'hôtel ou le camping est aussi prévu!

Je vous propose de prendre exactement la même approche lors de l'organisation de votre travail, ou plus précisément, le vendredi pour la semaine à venir, et le soir pour la journée du lendemain.

L'approche est très simple :

Ouvrir l'agenda de la semaine à venir pour examiner les différentes journées. Déterminer les documents dont vous aurez besoin, le nombre d'heures de travail de préparation avant les rencontres, ou le temps nécessaire à vos déplacements.

Le soir, ou avant de quitter le bureau, un coup d'œil rapide à votre agenda du lendemain vous préparera au travail à venir.

La nuit porte conseil!

Comment puis-je utiliser ces idées ?

_____

_____

_____

_____

_____

_____

_____

_____

_____

_____

_____

Avec qui devrais-je partager ces idées ?

_____

_____

_____

Pour sauver du temps

Voici une courte liste de façons de gagner du temps ou, si vous préférez, d'aborder des situations au quotidien.

Commencez une réunion à 16h et vous constaterez ainsi que les idées sont plus claires, et que l'acceptation du groupe est plus facile lorsque 17h approche.

Si vous n'avez pas besoin de parler directement à une personne, pourquoi ne pas l'appeler à 12h30 (heure normale de lunch) pour laisser un message détaillé sur le répondeur?

Pourquoi ne pas faire parvenir à la personne que vous allez rencontrer de l'information à votre sujet dans les jours qui précèdent la rencontre? Vous pourrez passer plus rapidement aux choses sérieuses.

Organisez un appel conférence plutôt qu'une réunion. Vous n'aurez pas besoin de vous déplacer. Plusieurs sujets peuvent ainsi être réglés, surtout si les intervenants se connaissent déjà.

Comment puis-je utiliser ces idées ?

_____

_____

_____

_____

_____

_____

_____

_____

_____

_____

_____

Avec qui devrais-je partager ces idées ?

_____

_____

_____

La lecture d'un magazine : deux étapes valent mieux qu'une!

Des magazines existent dans tous les domaines. Ils sont généralement une très bonne source d'information sur les nouveautés de l'industrie, sur nos concurrents ou plus simplement sur des sujets qui nous intéressent, comme la photographie, le golf, le tennis, les voitures… Plusieurs magazines présentent des bijoux d'articles, de suggestions, de points d'intérêt et d'apprentissage.

Malgré tous ces avantages, ces magazines peuvent couvrir rapidement votre bureau ou votre comptoir de cuisine si vous n'avez pas le temps nécessaire pour les lire.

Nouvelle approche : passez rapidement au travers du magazine pour en faire une lecture globale et déterminer les articles qui vous intéressent. Une fois le magazine feuilleté, détachez les pages des articles qui vous intéressent pour les garder dans votre mallette ou dans une chemise d'articles « à lire ».

De cette façon, il sera plus facile, lors de la « deuxième » lecture, de « focusser » sur les articles placés dans la chemise, autant à la maison, au travail que dans une salle d'attente, chez le médecin, le dentiste ou même chez un client!

Comment puis-je utiliser ces idées ?

_____

_____

_____

_____

_____

_____

_____

_____

_____

_____

Avec qui devrais-je partager ces idées ?

_____

_____

_____

Une petite visite à mon collègue

Nous avons tous vécu des situations, où nos collègues de bureau sont trop généreux de leurs explications, où le petit conseil, qui vous est demandé, devient un exposé de 30 à 40 minutes dont vous ne disposez pas. Il est toujours délicat de mettre fin à ce monologue enthousiaste.

Si quelqu'un a tendance à monopoliser votre temps, voici peut-être une façon respectueuse de procéder, qui vous permettra de garder la maîtrise de la situation.

Au lieu de recevoir la personne à votre bureau, déplacez-vous pour aller tenir la discussion là où travaille cette personne, par exemple, à son bureau. Vous pourrez alors décider vous-même à quel moment mettre fin à la conversation, en expliquant que vous devez le quitter pour respecter votre horaire et celui de votre interlocuteur.

Si le malaise est chronique, vous pouvez même rester debout pendant la conversation.

Comment puis-je utiliser ces idées ?

Avec qui devrais-je partager ces idées ?

Formation par les pairs

Il est important que nos employés — et chacun d'entre nous — puissent s'améliorer année après année. La méthode traditionnelle pour y arriver peut être la lecture, mais la formation ou le cours en classe est souvent plus approprié.

Sachant qu'une multitude de cours sont disponibles et qu'ils sont généralement coûteux, on y envoie une seule personne pour y participer. La modération est de mise.

Pour compenser cette situation, il peut être intéressant de procéder de la façon suivante : chaque employé, qui assiste à une formation payée par l'entreprise, doit faire une présentation complète de ses apprentissages, pour communiquer au reste de l'équipe ce qui est important, ce qui peut être utile au quotidien.

De cette manière, le participant doit être très attentif et prendre des notes, sachant qu'il aura un rôle à jouer à son retour au bureau, et cela, devant ses collègues.

Comment puis-je utiliser ces idées ?

Avec qui devrais-je partager ces idées ?

Dire oui, c'est faire un choix

Comme vous le savez, il est beaucoup plus facile de dire oui que de dire non, et cela, même en affaires!

Or, dire oui à quelque chose correspond à dire non à autre chose.

Je m'explique. Si je décide d'aller souper avec un client ou un ami, je dis oui à cette sortie qui sera agréable, mais je dis aussi non à ma famille, car je ne serai pas avec elle ce soir. Si je dis oui à une promotion, qui demandera beaucoup de travail de ma part, je dis non à passer plus de temps avec la famille ou les amis.

Considérant que nos choix nous permettent généralement de grandir, il est primordial d'en accepter les conséquences. En d'autres mots, au moment de la décision, il faut peser le pour et le contre et décider : oui ou non.

Ce choix doit être effectué en fonction de vos valeurs et de vos priorités. À partir de cette décision, c'est à vous d'aller de l'avant, d'assumer et de respecter votre choix

Le moment n'est plus à douter, mais à prendre d'autres décisions.

Comment puis-je utiliser ces idées ?

_____

_____

_____

_____

_____

_____

_____

_____

_____

_____

_____

Avec qui devrais-je partager ces idées ?

_____

_____

_____

La liste de choses à faire « améliorée »

Rien de plus utile pour se libérer l'esprit qu'une liste de choses à faire : c'est la *To Do List* de nos amis anglophones.

Ce genre de liste permet d'atteindre plusieurs objectifs :

• S'assurer de ne rien oublier des activités à accomplir ou des produits à acheter.

• Se libérer la tête des pensées préoccupantes qui peuvent nuire à notre sérénité, parfois même à gâcher nos fins de semaine. Nous pourrons ainsi nous concentrer sur ce qui est important.

• Écrire une liste de choses à faire est facile et pratique.

Saviez-vous que plusieurs modèles de listes existent?

Un des modèles consiste à établir la liste normale des activités à venir, en décrivant toutes les informations sur une ligne. La précision aide toujours l'esprit à « livrer la marchandise ». Juste avant la tâche à accomplir, à la gauche de votre description, écrivez un A, B ou C, selon votre appréciation. Par la suite, attaquez-vous, en premier lieu, à toutes les tâches A, suivies des B.

Bravo si vous touchez aux C, car la liste évoluera!

Comment puis-je utiliser ces idées ?

_____

_____

_____

_____

_____

_____

_____

_____

_____

_____

_____

Avec qui devrais-je partager ces idées ?

_____

_____

_____

Priorités, quand on vous tient

Travailler en équipe, c'est-à-dire utiliser les forces de chacun pour arriver à un but déterminé, et bien compris de chacun, est essentiel pour atteindre vos objectifs. Le fait de pouvoir compter sur les autres membres de l'équipe, de leur faire confiance et de savoir que le travail sera accompli, est en effet la clé du succès.

Pour y arriver, un concept de base doit être mis en place par le leader : pour chacun des projets, il est essentiel qu'il partage, qu'il fasse comprendre ses priorités. Expliquer ses choix et les étapes qu'il prévoit pour les atteindre.

Il faut faire cette démarche aussi souvent que possible. Il est important, mais malheureusement rare, de trouver des équipes, dont tous les membres peuvent expliquer les priorités du groupe. Comment peuvent-ils travailler ensemble si le but à atteindre n'est pas connu ou partagé?...

Appel aux leaders : partagez vos priorités et vos buts! Ainsi, votre groupe pourra vraiment vous aider et formera une équipe.

Comment puis-je utiliser ces idées ?

Avec qui devrais-je partager ces idées ?

Les complications involontaires

Il m'arrive de quitter le bureau pour quelques jours, en voyage d'affaires. Mes compagnons électroniques sont nombreux : ordinateur portatif, cellulaire, chargeurs pour ces appareils et même GPS pour me retrouver.

Oui, j'aime la technologie.

J'ai redécouvert dernièrement, lors d'un retour de voyage où toutes les piles étaient mortes, qu'il est très simple d'écrire avec un crayon et du papier. En effet, ce crayon défilait rapidement sur la feuille, et les idées apparaissaient rapidement. Quel apprentissage!

À la suite de cette complication involontaire, plusieurs constatations d'ordre philosophique se sont imposées.

Lorsque la situation devient compliquée, trop politique ou tendue, il est toujours préférable de retourner aux valeurs de base, c'est-à-dire à l'essentiel : passer plus de temps chez les clients, penser service, s'assurer d'être avec nos employés plus souvent et plus longtemps. Pratiquer la simplicité est un grand avantage, et il faut beaucoup de connaissances pour la pratiquer.

Je vous souhaite de pratiquer la simplicité volontaire et ainsi de rendre la vie de vos clients plus facile.

Pour nous aider au travail

Comment puis-je utiliser ces idées ?

_____

_____

_____

_____

_____

_____

_____

_____

_____

_____

_____

Avec qui devrais-je partager ces idées ?

_____

_____

_____

Avant de répondre à vos courriels

Comme vous le constatez dans la vie de tous les jours, les courriels sont devenus une partie importante des communications et des échanges, autant dans le milieu des affaires, qu'à l'école ou à la maison.

J'aimerais vous parler de certaines constatations que j'ai faites tout au long des dernières années à propos de cet outil rapide, précis… et trop souvent utilisé, qu'est le courriel.

Premièrement, ai-je vraiment besoin d'envoyer un courriel?… Comme vous le savez, nous en recevons tous beaucoup trop et même de plus en plus chaque jour!

Deuxièmement, dois-je absolument envoyer à cinq personnes une copie conforme? Si je le fais, est-ce pour leur donner de l'information importante à leurs yeux ou simplement pour me protéger, ou même bien paraître?

Troisièmement, avant d'envoyer un courriel à teneur négative, il faut penser que ce message peut facilement être redistribué à plusieurs personnes. Il serait peut-être plus approprié de contacter la personne fautive, de comprendre son point de vue, et de lui laisser la chance de corriger la situation avant d'informer plusieurs personnes de ce problème. Vous serez ainsi mieux apprécié par votre entourage et vous aurez aidé une personne à grandir… positivement.

Comment puis-je utiliser ces idées ?

_____

_____

_____

_____

_____

_____

_____

_____

_____

_____

_____

Avec qui devrais-je partager ces idées ?

_____

_____

_____

La gestlon des courriels

Il y a vingt ans, au travail, nous recevions notre courrier une fois par jour. À cette époque, dès la réception, nous prenions une pause pour en faire le tri et organiser notre travail.

Aujourd'hui, nous recevons des courriels à tous les moments de la journée : comment nous concentrer?

Voici l'approche :

Le matin en arrivant au bureau, ne regardez pas vos courriels tout de suite, car ils prendraient le contrôle de votre journée.

Donnez-vous au moins 30 minutes de planification pour vous concentrer sur une tâche importante. À la suite de cette période très productive, ouvrez vos courriels et… bonne journée!

En vous accordant ces 30 minutes pour revoir votre agenda de la journée, vous préparer aux différentes rencontres, visites ou discussions à venir, vous vous accordez du temps.

Après ces 30 minutes de planification et d'organisation, vous pourrez regarder vos courriels et commencer à y répondre : la bataille au quotidien!

(4) Référence : voir p.185

Comment puis-je utiliser ces idées ?

_____

_____

_____

_____

_____

_____

_____

_____

_____

_____

_____

_____

Avec qui devrais-je partager ces idées ?

_____

_____

_____

La gestion des courriels (2)

À la rubrique précédente, je vous ai suggéré d'attendre 30 minutes avant d'ouvrir vos courriels le matin, pour prendre le temps de planifier votre journée.

À cette étape, j'aimerais aborder la gestion des courriels tout au long de la journée.

Pensons à la personne qui reçoit 50 courriels par jour. Cela représente 50 interruptions qui la déconcentrent. Comment peut-on effectuer une tâche importante, avoir une discussion suivie si on accepte d'être « défocussé » pendant ces activités? De plus, cela démontre un manque d'intérêt envers l'interlocuteur.

Ce que je vous propose est de prévoir des pauses courriel entre vos réunions, vos rencontres ou toutes les 60 minutes lorsque vous êtes à votre ordinateur, à votre bureau. De cette manière, vous garderez votre concentration sur les tâches importantes que vous avez à accomplir, tout en restant au courant de ce qui se passe dans votre environnement!

Vous êtes donc productif et branché… Bravo!

Comment puis-je utiliser ces idées ?

Avec qui devrais-je partager ces idées ?

Les courriels et l'Internet
au bureau : on vous regarde!!!

Les courriels font partie intégrante de notre vie, autant au travail qu'à la maison, et cela est aussi vrai pour tout usage de l'Internet. Ils sont devenus des outils indispensables pour communiquer et pour s'informer. Ils présentent d'ailleurs beaucoup d'avantages : rapidité de recherche, de réponse, transfert de documents ou de présentations.

Malgré cette proximité et cette facilité d'utilisation, il faut toujours être vigilant quant aux sujets traités ou à l'information recherchée… Pourquoi? Parce qu'il y a de plus en plus de logiciels qui permettent de suivre très précisément l'usage de votre ordinateur au bureau : les courriels reçus et envoyés, les sites visités tels *YOU TUBE*… Sachant que l'employeur a ce droit, nous devrions utiliser ces outils de façon responsable, c'est-à-dire de manière à ne rien nous faire reprocher. Il est toujours désagréable, croyez-moi, autant pour l'employeur que pour l'employé, de devoir faire face à des explications relativement à des sites visités, sites qui ne correspondent pas aux valeurs de l'entreprise.

Évitons ces situations et informons bien nos équipes.

Bonne navigation!

Comment puis-je utiliser ces idées ?

Avec qui devrais-je partager ces idées ?

Relire vos courriels

Toujours sur le thème des courriels, il y a certains points importants à vérifier AVANT de les envoyer.

Assurez-vous de relire au moins une fois le courriel. Si vous êtes comme moi, les idées viennent plus vite que l'écriture…

Si vous avez un doute quant à la teneur ou le ton du courriel, ne l'envoyez pas tout de suite. Prenez le temps de peser la résultante ou, tout simplement, de revoir votre approche dans une heure ou deux… Pensez que plusieurs personnes peuvent y avoir accès, incluant le destinataire, ainsi que son assistant, le service de l'informatique, etc.

Assurez-vous que le nom du destinataire et son adresse sont les bons. Nous avons tous entendu parler de situations de courriels « critiques » ou même « très critiques » envoyés à la mauvaise personne… Évitons ces situations délicates.

Si vous écrivez souvent au même groupe de personnes, l'option de création de groupe vous permettra de gagner du temps et surtout d'être certain de votre liste de distribution.

Comment puis-je utiliser ces idées ?

_____

_____

_____

_____

_____

_____

_____

_____

_____

_____

_____

Avec qui devrais-je partager ces idées ?

_____

_____

_____

Un courriel constructif

Parlons des courriels positifs, ceux qui font plaisir.

Considérant que ce mode de communication fait maintenant partie intégrante de notre vie, il peut être intéressant de maximiser cet outil pour distribuer des sourires, des remerciements autour de nous.

Je vous propose de prendre l'habitude de revoir votre agenda de la veille pour déterminer si vous avez des remerciements ou des félicitations à envoyer à la suite d'une discussion, d'une rencontre ou d'une décision qui a été prise. Peut-être qu'un des vendeurs a signé un nouveau contrat, qu'une assistante vient tout juste de terminer un nouveau cours ou que les ressources humaines ont aidé à régler un problème avec votre paie!

Il peut être aussi intéressant de noter les anniversaires de naissance d'amis ou de collègues pour leur envoyer une petite note qui soulignera l'évènement.

Dans certains cas particuliers, si vous êtes reçu à la maison ou au restaurant, par exemple, le courriel n'est pas le bon outil.

Prenez le temps d'appeler ou même d'écrire un petit mot à la main pour souligner le geste et surtout votre appréciation.

Comment puis-je utiliser ces idées ?

_____

_____

_____

_____

_____

_____

_____

_____

_____

_____

Avec qui devrais-je partager ces idées ?

_____

_____

_____

Votre répondeur : un assistant

Le répondeur téléphonique est une très belle invention, utile autant au bureau qu'à la maison. L'important est de bien l'utiliser.

Vous est-il déjà arrivé de devoir contacter la même personne à plusieurs reprises tout en manquant le retour d'appel? Que de temps perdu et même de frustration à jouer au « ping-pong téléphonique ». Je suis certain que vous avez d'autres manières d'utiliser votre temps.

La solution :
Pourquoi ne pas utiliser le plein potentiel de cet assistant personnel qu'est le répondeur? Il permet de laisser un message complet avec les questions, qui justifient l'appel, ainsi que tous les commentaires pertinents et les informations nécessaires.

La personne qui reçoit le message pourra ainsi – – en plus d'éviter de perdre son temps à essayer de vous contacter — faire des recherches pour trouver les réponses à vos questions et même vous contacter en fonction des plages horaires disponibles, que vous aurez suggérées dans votre message. Elle pourrait même vous répondre par courriel si vous avez mentionné cette option.

Je suis convaincu que la bonne utilisation du répondeur vous permettra de sauver du temps et de mieux accomplir votre travail.

Comment puis-je utiliser ces idées ?

_____

_____

_____

_____

_____

_____

_____

_____

_____

_____

_____

Avec qui devrais-je partager ces idées ?

_____

_____

_____

Votre voix pour passer le message

Un peu comme la carte professionnelle, un répondeur — ou plutôt votre voix sur le répondeur — révèle votre personnalité pour la personne qui appelle.

Il serait bon d'écouter son propre répondeur pour juger de l'effet. Si jamais vous avez le goût de raccrocher, continuez à lire…!

Pour laisser un bon message :

En premier, prenez le temps d'écrire les points importants que vous voulez communiquer dans votre message : votre nom, les informations pour vous joindre, le nom de la personne qui pourrait répondre en votre absence et les délais de retour d'appels.

Lorsque votre message est clair sur papier et qu'il correspond à l'image que vous voulez projeter, il est temps de l'enregistrer avec une voix… appropriée au répondeur.

Restez debout pendant l'enregistrement du message pour avoir une voix plus grave. Prenez votre temps, donnez l'information nécessaire tout en parlant lentement. Pensez que votre interlocuteur prend votre numéro de téléphone en note. De plus, n'hésitez pas à sourire pendant l'enregistrement. Cela se sent dans la voix.

Comment puis-je utiliser ces idées ?

_____

_____

_____

_____

_____

_____

_____

_____

_____

_____

_____

Avec qui devrais-je partager ces idées ?

_____

_____

_____

La carte d'affaires

La carte d'affaires, c'est ce qui reste après votre départ. C'est donc votre image : elle vous représente, permet à la personne qui la reçoit de vous contacter, de vous écrire, de vous reparler.

Il ne faut jamais sous-estimer l'importance de cette carte. Comment est votre carte d'affaires? Un peu arrondie, car vous la gardez dans votre porte-monnaie, ou ses coins sont pliés parce qu'elle vous a servi à ramasser des choses?

Il est bon de vous assurer des points suivants :

• Que vous avez toujours avec vous, en toute occasion, votre carte d'affaires.

• Que cette carte est présentable, donc propre et droite.

• Que l'information qu'elle contient est à jour et surtout celle que vous voulez partager en public.

La carte reste toujours la même, mais la façon de la présenter (pour ceux qui le font) fait aussi partie de l'image que l'on gardera de vous, si souvenir on garde.

Comment puis-je utiliser ces idées ?

_____

_____

_____

_____

_____

_____

_____

_____

_____

Avec qui devrais-je partager ces idées ?

_____

_____

_____

Le bon usage du cellulaire

Le cellulaire, parlons-en…

Le cellulaire est, selon moi et pour plusieurs raisons, une invention extraordinaire, qui a su proliférer rapidement grâce à de nouveaux appareils et surtout de meilleurs forfaits.

Il est important de ne pas mélanger technologie et usage de la technologie. Ainsi, la personne qui roule à 160 km/heure sur l'auto-route est fautive, et non sa voiture… Je fais le même constat pour le cellulaire : c'est l'humain qui en contrôle l'utilisation ou du moins, qui devrait la contrôler.

Le cellulaire est pratique, mais l'utilisateur doit prendre conscience de son environnement. Si, alors que vous êtes au restaurant, vous devez absolument répondre à un appel, je vous suggère de vous lever de table et d'aller à l'extérieur, ou dans un endroit où vous ne dérangerez pas les gens attablés. De plus, vous garderez votre conversation confidentielle, à l'abri des oreilles indiscrètes!

L'époque où l'on parlait au cellulaire pour impressionner l'entourage est maintenant dépassée, et ce, peu importe l'appareil que vous possédez.

Si vous voulez vraiment impressionner vos invités, consacrez-leur toute votre attention!

Comment puis-je utiliser ces idées ?

_____

_____

_____

_____

_____

_____

_____

_____

_____

_____

_____

Avec qui devrais-je partager ces idées ?

_____

_____

_____

Le bon usage du cellulaire (suite)

Comme vous le constatez tous les jours, le téléphone cellulaire est devenu une partie intégrante de nos vies. Il est de plus en plus utile, autant en public (restaurant, train, aéroport) qu'en privé (bureau, maison, auto). Pour certains, c'est un outil de travail, une façon normale (sinon essentielle) de communiquer; pour d'autres, c'est un mal nécessaire.

Comme pour tout outil ou assistant personnel, il est important de bien maîtriser les options de l'appareil pour diminuer le plus possible les inconvénients que nous pourrions créer autour de nous.

Comme utilisateur, nous devons comprendre que notre liberté d'expression est limitée par le désir de certaines personnes de ne pas être dérangées par la sonnerie au restaurant, dans le train ou pire encore, au cinéma ou au théâtre...

Je vous suggère :

* De bien considérer le lieu où vous êtes et le degré d'inconfort que l'usage de votre cellulaire pourrait créer ;
* D'apprendre à utiliser la fonction « vibration » de l'appareil. Le bruit disparaît ainsi, tout en vous avisant de la communication.
* Finalement, il ne faut jamais oublier qu'une boîte vocale vous permet de filtrer les appels afin de respecter votre entourage.

Comment puis-je utiliser ces idées ?

Avec qui devrais-je partager ces idées ?

L'assistant personnel au jour le jour!

L'assistant personnel est un outil fantastique pour rester en contact avec le bureau et le monde, autant par la voix que par les informations des courriels et de l'Internet.

Comme tout outil de travail, cet appareil est là pour répondre aux besoins de leurs utilisateurs, et c'est à celui-ci de gérer son usage pour éviter les débordements.

Plusieurs personnes, à cause de l'abus que certains font de leur assistant informatique, ont une mauvaise perception de cet appareil pourtant si utile. L'exemple le plus courant d'abus constaté est, selon moi, l'utilisation de cet outil pendant les réunions. Si une personne lit ses courriels pendant la réunion ou, pire encore, pendant la présentation d'un collègue, le message envoyé est assez clair : mes courriels sont plus importants que la présentation ou que les sujets de la réunion... Difficile pour l'esprit d'équipe.

Ce n'est qu'un assistant, vous êtes le maître.

Comment puis-je utiliser ces idées ?

Avec qui devrais-je partager ces idées ?

La liste de contacts

De nos jours, il est de plus en plus facile d'organiser sa liste de personnes contacts : famille, amis, fournisseurs, collègues de travail… Que cela soit dans Outlook ou dans un assistant personnel, la liste des contacts semble s'allonger année après année.

Une fois la liste dressée, il est important de la traiter comme un organisme vivant qui évolue, qui vit, qui change et qui doit être mis à jour. Je m'explique…

Premièrement, il est bon de classer vos contacts par catégories pour mieux les retrouver : famille, amis, maison, auto, bureau.

Deuxièmement, il est important de faire un grand ménage annuel.

Si vous n'avez pas parlé à la personne au cours des 18 à 20 derniers mois et si vous ne pensez pas le faire prochainement, il est peut-être temps de supprimer ce contact. Ce ménage annuel est important pour que la liste soit vraiment utile.

Une liste de contacts doit être à jour.

Comment puis-je utiliser ces idées ?

_____

_____

_____

_____

_____

_____

_____

_____

_____

_____

_____

_____

Avec qui devrais-je partager ces idées ?

_____

_____

_____

Contrôler son bureau
et son espace

Généralement, plus nous avons d'espace sur notre bureau, plus il est en désordre. Si vous devez chercher un document ou un dossier pendant 10 minutes, cela démontre une mauvaise organisation du travail, une baisse de productivité et surtout une facture plus élevée si vous travaillez à l'heure. Pour être mieux organisé, pour connaître l'emplacement des documents importants, il faut en faire la gestion au quotidien.

Je me dois de connaître les outils nécessaires pour y arriver et surtout, accepter de trier ou de jeter la majorité des brochures publicitaires et des communications non essentielles que je reçois. Par la suite, je prends l'approche proposée dans le livre *First Things First* pour le classement en quatre catégories :

- IMPORTANT URGENT I

- IMPORTANT NON-URGENT II

Time Matrix - Activities

- NON IMPORTANT URGENT III

- NON IMPORTANT NON URGENT IV

Chacun de ces choix correspond à un dossier particulier qui mérite un niveau d'attention spécifique. Pour plus d'information, référez-vous au livre de S. Covey, *First Things First*.

(5) Référence : voir p.185

Comment puis-je utiliser ces idées ?

Avec qui devrais-je partager ces idées ?

Une belle et bonne présentation!

Vous avez été choisi pour faire une présentation grâce à vos connaissances et à votre expérience. Eh bien, bravo! Le travail commence.

Premièrement, trouvez le point principal de la présentation ou le sujet sur lequel vous pouvez partager vos connaissances. L'important ici est de vouloir les partager et non les étaler.

Deuxièmement, prenez des notes pour regrouper vos idées : trois groupes et sous-groupes de points à couvrir, qui aideront l'auditoire à mieux comprendre le sujet couvert.

Suite au choix des idées à présenter, c'est à vous de déterminer si des images, des graphiques, des photos ou même de la musique pourraient aider à mieux faire passer le message. Si vous jugez ces supports utiles, ajoutez-les aux moments appropriés lors de la présentation.

• Assurez-vous de bien développer votre présentation sur papier avant de créer la présentation électronique. Si votre « plan de match » est clair et précis, il sera plus facile pour vous de le présenter. Autres points à préparer ou à vérifier : les documents à remettre, la salle de présentation et le temps alloué, auquel il faudra vous en tenir.

Bonne présentation, c'est votre futur!

Comment puis-je utiliser ces idées ?

_____

_____

_____

_____

_____

_____

_____

_____

_____

_____

_____

Avec qui devrais-je partager ces idées ?

_____

_____

_____

L'art d'écrire un rapport

Chaque compagnie a son propre format de rapports ou de présentations de travail, ce qui lui permet de standardiser l'approche des communications. Parallèlement à ces formats préétablis, je vous propose une approche qui a fait ses preuves, et que j'ai pu constater lors de présentations faites par mes collègues.

Dans la présentation d'un rapport (verbal ou écrit), il est toujours intéressant de parler d'abord du client (les commentaires, les résultats, les recommandations qu'a reçus votre produit ou votre service). Puisque le client est important pour vous et votre employeur, il est essentiel de le placer au début de votre présentation.

Ensuite, vous pouvez aborder les implications pour votre compagnie, soit en termes de positionnement, de profits ou d'innovations, ou de compétitivité.

Pour conclure : exposer votre rôle, vos commentaires et apprentissages, relativement au sujet ou à la démarche.

En résumé, le client, la compagnie et le meilleur pour la fin : vous!

Comment puis-je utiliser ces idées ?

_____

_____

_____

_____

_____

_____

_____

_____

_____

_____

Avec qui devrais-je partager ces idées ?

_____

_____

_____

«**Laporte**» de la réussite

Trois questions pour décider

J'assistais à la présentation du président d'une chaîne de produits électroniques américaine. Ce groupe possède plus de 500 magasins au pays. Voici ses principes et critères de décision pour permettre des prises de décisions plus rapides.

La personne la plus importante de votre magasin est le gérant. C'est elle qui fera toute la différence pour vos clients et pour l'attcinte de vos résultats. Assurez-vous que ce gérant donne des instructions simples et faciles à comprendre à tous les employés qui sont en contact avec les clients. Ces employés doivent pouvoir répondre rapidement et connaître les critères de décisions.

Les voici :

- Est-ce bon pour le client?

- Est-ce profitable pour la compagnie (à court ou moyen terme)?

- Est-ce légal?

Si les réponses à ces trois questions sont toutes positives, l'employé peut répondre affirmativement à la demande du client.

En ayant instauré ce genre d'analyse, ce président a donné des outils de décision aux personnes les plus importantes : celles qui rencontrent la clientèle tous les jours.

Comment puis-je utiliser ces idées ?

Avec qui devrais-je partager ces idées ?

Avez-vous un mentor au travail?

Considérant toutes les heures que nous passons au travail, il serait intéressant de pouvoir nous améliorer, d'avoir de nouveaux défis ou même de nouvelles manières de faire les choses.

Qui peut nous aider dans ces désirs? C'est précisément là où le mentor peut aider. En effet, le rôle d'un coach revient généralement à votre supérieur immédiat, ce qui ne vous empêche pas de chercher quelqu'un, dans l'entreprise, qui a plus d'expérience que vous ou encore quelqu'un qui vient de prendre sa retraite. L'aide d'une personne plus expérimentée vous permettra d'avoir des discussions ouvertes (ce qui est plus difficile avec votre patron) sans risquer de perdre de la crédibilité ou de la confiance.

Grâce à votre relation avec un mentor efficace, vous pourrez :

- Apprendre de l'expérience de l'autre;
- Discuter de points à améliorer;
- Prévoir un cheminement de carrière;
- Vous faire un ami.

Rappelez-vous que vous devez être prêt à écouter les conseils, à modifier votre approche, donc à apprendre. Si vous êtes prêt, partez à la recherche d'un mentor. Cela en vaut vraiment la peine! Bonne recherche!

Outils du gestionnaire

Comment puis-je utiliser ces idées ?

_____

_____

_____

_____

_____

_____

_____

_____

_____

_____

_____

Avec qui devrais-je partager ces idées ?

_____

_____

_____

Leader *versus* Manager

Un expert dans le domaine du leadership, le professeur Warren Bennis de l'Université du sud de la Californie, a passé des années à l'étudier.

Ses différentes conclusions sont intéressantes. Il distingue deux styles : le « leader » et le « manager ».

Chaque compagnie a besoin des deux styles, des deux approches. Il explique aussi pourquoi les leaders ont de meilleurs résultats à atteindre le plein potentiel de leurs équipes de travail.

« Un manager doit faire accomplir un certain travail. Un leader crée le désir d'accomplir la tâche chez la personne. Un manager pousse, un leader attire. Le manager commande, le leader communique.

On comprend que chacun de ces styles a un rôle important à jouer à des moments différents. Le manager verra aux processus, à l'atteinte des buts et des résultats par un certain contrôle. Le leader aura un focus sur les gens, les sentiments, les valeurs et la vision. Le manager travaille le court à moyen terme; le leader le long terme.

(6) Référence : voir p.185

Comment puis-je utiliser ces idées ?

Avec qui devrais-je partager ces idées ?

Communiquer le plan d'affaires

Le plan d'affaires représente, après les employés, un des outils les plus importants de la gestion. Il donne à l'entreprise une vision, des objectifs et surtout, il permet de mesurer les résultats vis-à-vis des buts à atteindre.

La plupart des plans d'affaires que j'ai vus au cours des dernières années sont de plus en plus complexes et de plus en plus volumineux. Tous les détails qu'on y ajoute sont importants pour les cadres supérieurs (du moins, ceux qui les lisent), mais leur complexité diminue leur facilité de communication.

Pour combler cet écart, il est intéressant de créer un plan d'une seule page qui sera un résumé exécutif du plan d'affaires. Avec ce document précis et simple, il sera facile de communiquer à tous les employés la vision, les objectifs et les délais pour y arriver.

Vous aurez là un outil de communication important : il sera la base de plusieurs discussions qui permettront aux employés d'être mieux alignés sur le plan affaires et, grâce à l'écoute des commentaires, vous pourrez améliorer la prochaine version de ce plan.

Le plan d'une page vous forcera à déterminer les points clés et fera de vous un meilleur communicateur.

Comment puis-je utiliser ces idées ?

_____

_____

_____

_____

_____

_____

_____

_____

_____

_____

_____

Avec qui devrais-je partager ces idées ?

_____

_____

_____

Réengagez votre équipe!

Nous voulons tous avoir des équipes productives, à la hauteur des attentes, qui savent répondre aux différents besoins des clients. En plus, nous cherchons un recrutement proactif qui s'adapte à un marché du travail, qui évolue sans arrêt. Or, la main-d'œuvre est difficile à trouver et encore plus à engager.

Les temps changent, le nouveau marché du travail vous demande de « réengager » le personnel performant que vous avez déjà, c'est-à-dire de prendre les moyens nécessaires pour que ces personnes se sentent appréciées.

En prenant le temps nécessaire pour leur communiquer votre appréciation, vous améliorerez le climat de travail, vous aurez une meilleure relation avec les personnes clés de la compagnie, et un taux de roulement de personnel plus bas.

Faites-le dès aujourd'hui, en prenant le temps de reconnaître le travail bien fait et les personnes qui en sont responsables.

Et pourquoi ne pas le faire souvent?… Vous en bénéficierez tous!

Comment puis-je utiliser ces idées ?

_____

_____

_____

_____

_____

_____

_____

_____

_____

_____

_____

Avec qui devrais-je partager ces idées ?

_____

_____

_____

Ce que vous acceptez, vous en faites la promotion

Eh oui, comme gestionnaire, comme responsable d'équipe ou chef de groupe, une chose est évidente : les gens vous regardent, vous observent et mesurent vos décisions au jour le jour. Chacune de vos décisions devient la nouvelle règle par laquelle votre équipe sera guidée.

Nos amis anglophones ont une expression qui résume le concept à 100 % : « *What you permit, you promote* ».

Nous devons comprendre que si nous laissons passer sans réagir un comportement non acceptable d'un membre de l'équipe (retard, qualité de l'ouvrage, langage…), nous acceptons que cela devienne la nouvelle norme, ou du moins, que cela soit toléré.

En ne redressant pas tout de suite la situation, nous acceptons un conflit et surtout, nous laissons savoir à tous que nous n'avons pas fait notre travail de supervision en laissant aller les choses.

Il est important de se rappeler que la priorité doit être donnée aux résultats de groupe, à l'esprit d'équipe plutôt qu'à la performance individuelle, qui nuit au travail de l'ensemble.

Comment puis-je utiliser ces idées ?

_____

_____

_____

_____

_____

_____

_____

_____

_____

_____

_____

Avec qui devrais-je partager ces idées ?

_____

_____

_____

Pour bien féliciter

Un événement important pour tous : recevoir des félicitations. C'est un moment rare, privilégié, sachant que nous sommes tous bien occupés au quotidien.

Prenons-nous toutes les occasions qui s'offrent à nous pour le faire? Féliciter une personne est une façon de dire qu'elle est appréciée, qu'elle est reconnue pour son travail, sa performance, son approche. C'est une marque d'affection, car c'est dire BRAVO et MERCI.

Pour valoriser ce moment, il est important de s'y prendre de la bonne manière et de comprendre l'impact du geste.

Si vous allez rencontrer la personne dans son bureau, prenez le temps de communiquer la raison ou l'activité qui mérite vos félicitations. Après ces félicitations, il faut quitter le bureau de cette personne. Le point important est de ne pas mélanger ces félicitations avec d'autres aspects du travail. Tout autre sujet abordé ferait oublier les félicitations, et la démarche aura été veine.

Si la reconnaissance s'exprime au cours d'une réunion, il faut laisser le temps à la personne d'accepter l'éloge et peut-être aussi de prendre la parole.

Comment puis-je utiliser ces idées ?

_____

_____

_____

_____

_____

_____

_____

_____

_____

_____

_____

Avec qui devrais-je partager ces idées ?

_____

_____

_____

L'embauche assistée...

Dans la vie de l'entreprise, l'embauche de nouveau personnel est une des fonctions très importantes : elle est à la base même de la réussite future. Comment faire pour engager la bonne personne ou du moins, comment diminuer les risques d'erreurs?

Ce que je propose est de déterminer les valeurs qu'une personne doit avoir pour s'intégrer au sein de l'équipe et pour réussir dans l'entreprise. Lorsque ces valeurs seront trouvées, il suffit de les transmettre aux ressources humaines, ou à la personne qui embauche, pour qu'elle l'utilise comme guide d'entrevue.

Maintenant, comment trouver ces valeurs? Passablement simple : créez un groupe d'au moins cinq personnes et faites un tour de table pour nommer trois personnes (autres que celles qui sont dans la salle) qui représentent bien la compagnie et ses valeurs. Après avoir choisi les trois noms qui reviennent le plus souvent, demandez-vous quelles valeurs spécifiques véhiculent ces personnes. Après avoir énuméré les valeurs de chacune, trouvez les cinq ou six qui reviennent le plus souvent et qui créent l'unanimité du groupe.

Voilà, vous avez vos valeurs de groupe! Il ne reste qu'à en tenir compte lors des entrevues d'embauche.

(4) Référence : voir p.185

Comment puis-je utiliser ces idées ?

_____

_____

_____

_____

_____

_____

_____

_____

_____

_____

_____

_____

Avec qui devrais-je partager ces idées ?

_____

_____

_____

Le syndrome de Mère Térésa

Beaucoup d'entre nous aiment aider les autres. C'est gratifiant, cela permet de partager notre expertise et surtout, d'aider une personne dans son cheminement.

La question que je vous pose est la suivante :

« À quel moment est-ce que cet appui devient une béquille pour la personne dans sa vie professionnelle ou, si vous préférez, quand est-ce que trop, c'est trop? »

Une des façons d'analyser la situation est de connaître le désir et le potentiel d'apprendre de la personne. Si vous retrouvez chez cette personne autant de volonté que de potentiel, cela vaut la peine de continuer d'investir votre temps. Si vous ne trouvez pas les deux, je vous suggère d'investir votre temps ailleurs, pour le meilleur de chacun.

Comment savoir si la personne possède l'un ou l'autre (ou les deux)? Dites-vous que, si vous offriez un million à la personne pour faire la tâche, en serait-elle capable?

Si oui, elle a le potentiel.

Mais en a-t-elle la volonté ? Si oui, bravo! Elle est motivée.

La motivation peut s'acquérir, mais rarement le potentiel.

Comment puis-je utiliser ces idées ?

Avec qui devrais-je partager ces idées ?

Un petit tour d'auto avec ça...

De plus en plus d'outils s'offrent à nous pour analyser le plein potentiel d'une personne : tests psychologiques, rencontres de groupe, analyses des résultats de carrière et même références d'anciens employeurs.

Je crois qu'il est important de garder un côté humain à cette expérience. Ainsi, en créant une situation plus informelle, vous pourriez vous faire une opinion.

J'aimerais vous suggérer une façon de faire tout à fait non scientifique et non enseignée à l'université. Il est évidemment important de combiner cette approche avec d'autres analyses plus poussées, plus structurées pour présenter une vision globale.

Je vous suggère de faire un tour de voiture avec la personne à évaluer. Vous pourrez juger de la propreté de la voiture (attention : ce n'est peut-être pas la sienne), et surtout de sa façon de conduire. Est-ce que cette personne respecte les arrêts, les piétons, les limites de vitesse? Est-ce qu'elle démontre de la courtoisie ou de l'agressivité?

Comment provoquer cette situation? Eh bien, pourquoi ne pas aller luncher ensemble en lui demandant de vous y emmener? Choisissez un restaurant à une certaine distance, évidemment!

Comment puis-je utiliser ces idées ?

_____

_____

_____

_____

_____

_____

_____

_____

_____

_____

_____

Avec qui devrais-je partager ces idées ?

_____

_____

_____

«**Laporte**» de la réussite

L'évaluation d'employé

Je considère important de prendre le temps nécessaire pour documenter la performance de mes employés(es), c'est-à-dire noter le bon travail effectué de mois en mois, ainsi que sur certains points à améliorer. Je crois aussi important de faire deux rencontres d'évaluation par année, sachant qu'il est difficile de commenter sur des événements qui sont passés depuis longtemps et, surtout qu'il est illogique, selon moi, d'attendre plusieurs mois avant de souligner positivement ou non la performance d'une personne.

Il est évident que je vais analyser la performance « mesurable » de la personne comme les indicateurs de résultats. (Ventes, revenus, dépenses). Ces mesures sont essentielles et même critiques pour la business. Il est aussi important d'ajouter une note plus humaine, une note personnelle. Voici les questions que je me pose avant la rencontre avec l'employé pour lui communiquer mes observations. Je crois que cela améliorera les conversations et évidemment, la performance de votre équipe.

- Ce que j'apprécie le plus de ton approche
- Les points à souligner
- Les points où tu peux m'aider encore plus (ou les talents à développer, à améliorer)
- Le plan de l'année à venir : buts, plan d'action et aide nécessaire.
- Et finalement cette petite question très importante : « Que puis-je faire (ou arrêter de faire) pour t'aider dans ton travail ? »

Comment puis-je utiliser ces idées ?

_____

_____

_____

_____

_____

_____

_____

_____

_____

_____

_____

Avec qui devrais-je partager ces idées ?

_____

_____

_____

Félicitations pour
vos années de service

Nous aimons tous être fêtés. Nous soulignons les anniversaires de naissance, de mariage, des membres de notre famille et de nos amis. Pourtant, l'endroit où nous passons généralement le plus de temps est le bureau. Or, très peu d'employeurs prennent le temps de souligner votre anniversaire : celui de votre embauche et de vos années de service.

Chez nous, pour y arriver, avec la collaboration du département de ressources humaines, nous avons mis sur pied un système qui permet de connaître toutes les dates d'embauche de nos employés. Nous faisons un triage par mois des dates d'arrivée et calculons le nombre d'années de service. De là, nous produisons un magnifique certificat d'années de service, où on lit « Félicitations », le nom de la personne et le nombre d'années de service complétées. Ce genre de félicitations est envoyé à chacun des employés.

Tous les certificats sont signés un par un à la main. Les réactions constatées prouvent que cela fait plaisir à ceux qui le reçoivent.

Voilà un petit geste qui montre l'importance que chaque employé représente pour nous et surtout, il signifie que nous l'apprécions.

Comment puis-je utiliser ces idées ?

_____

_____

_____

_____

_____

_____

_____

_____

_____

_____

Avec qui devrais-je partager ces idées ?

_____

_____

_____

«**Laporte**» de la réussite

Comment bien communiquer une décision

Notre rôle est de prendre des décisions et surtout de bonnes décisions. C'est évidemment ce qui fait la différence entre un employé ordinaire et l'employé que l'on veut garder à tout prix. C'est une chose de prendre la bonne décision, mais il faut toujours penser à « comment bien communiquer cette décision ».

> Il peut être aussi important de bien communiquer la décision
> que de prendre la bonne décision.

Après avoir pris la décision, c'est le moment de préparer l'annonce de celle-ci. Le principe du 80-20 fonctionne encore : 80 % du temps pour prendre la décision et 20 % du temps pour préparer la communication de cette décision.

Les questions à se poser :

- À quel moment?
- À qui?
- Et à quel endroit?
- Sous quel format?
- Dans quel ordre (équipe de direction en premier, pour les préparer à répondre aux nombreuses questions)?

Cette approche est aussi valide au bureau qu'à la maison!

Apprentissages de l'auteur!

Leçons que je retiens de mes coachs et d'autres personnes que j'admire.

Josée Robineau, ma conjointe

Tout au long de ma carrière, elle m'a toujours encouragé à choisir mon travail, mon emploi, en fonction de ce que j'aime faire et être, et non seulement en fonction de la rémunération.

Ce que je retiens de nos discussions est que pour exceller dans un poste, il faut aimer ce que l'on vit, sachant les nombreuses heures de travail que l'on doit y investir pour livrer les résultats.

Lorsque l'on regarde la vie dans son ensemble, les enfants ont autant, sinon plus besoin de leur père, que la compagnie de son chef, car les enfants, c'est pour la vie!

Michel St-Georges, mon patron chez Apple Canada

« Dans une compagnie, tu as deux choix : ou bien supporter l'entreprise, la direction et les processus, ou bien faire à ta façon et changer souvent de compagnie. La première approche te permettra de rester longtemps et de te faire un nom dans l'industrie; la deuxième, d'être en perpétuel changement d'emploi. »

Rod Boileau, ancien président de Hewitt Caterpillar

Dans une conversation, on doit faire attention à ne pas être catégorique. Dire, par exemple, qu'aucune voiture américaine n'est bonne est tout simplement faux. Le prétendre fait disparaître ma crédibilité et m'empêche de faire passer mon idée ou mon concept. Il faut laisser de la place pour faire évoluer les idées : les siennes et celles des autres.

Jacques Ménard, BMO Nesbitt Burns

Dans la vie, il faut s'impliquer. L'indifférence est trop facile. S'activer pour faire avancer des causes, s'informer, faire des recommandations, proposer des solutions et être rassembleur pour passer de l'espoir à l'action.

J'ai aussi retenu de ses actions et de son livre que, malgré la retenue ou plutôt l'indifférence des leaders d'affaires dans les discussions de société, il faut prendre position, s'investir. La retenue historique du milieu d'affaires ne doit plus être un frein au changement.

Mon apprentissage? « Si tu crois en ton idée ou en ta cause, ne te laisse pas influencer ou ralentir par ceux qui sont confortables dans l'inaction. Ton avenir t'appartient pourvu que tu combines vision, plan et action. »

Ted Rogers, fondateur de Rogers

Le respect des employés : Monsieur Rogers a toujours démontré la plus grande appréciation envers tous ses employés. Il prenait toujours le temps de serrer les mains de chacun d'entre nous aux réunions, et même lors de réceptions de plus de mille personnes. Quelle belle manière de prouver l'importance de chacun! En plus, il a créé nos plans d'affaires pour garder les emplois au Canada, pour assurer des emplois ici, dans son pays.

Nadir Mohamed, Président Communications

Par son approche chez Rogers, Nadir a su nous montrer l'importance d'un focus à haut niveau, c'est-à-dire d'avoir un thème commun. Son approche de croissance profitable nous a permis de nous démarquer dans le marché, tout en nous forçant à sortir des sentiers battus pour innover et créer le futur.

Les amis, les connaissances et les autres

Tout au long de notre vie, autant à l'école que dans le milieu du travail, nous nous faisons des amis en fonction des circonstances : la ville où nous habitons, l'équipe de hockey où nous jouons, et même la langue que nous parlons. C'est l'occasion d'apprendre, de développer des valeurs, de débattre et surtout d'avoir du plaisir. Tout cela fait partie de l'apprentissage, du développement.

Il est important de prendre un recul et de faire un inventaire de ses relations tous les douze mois.

L'inventaire dont je parle consiste à reconsidérer notre entourage actuel et nos connaissances d'affaires, pour analyser si ces personnes sont des amis ou simplement des connaissances. Les amis d'enfance sont toujours importants et dénotent une certaine stabilité, un lien avec le passé. Ils sont là pour le long terme, tandis que les autres peuvent être très agréables à fréquenter, mais seulement pour une étape spécifique de notre vie.

Comment différencier les uns des autres? Comment différencier ceux qui nous permettent de grandir et ceux près desquels nous gaspillons de l'énergie et du temps?

Comment puis-je utiliser ces idées ?

_____

_____

_____

_____

_____

_____

_____

_____

_____

_____

_____

Avec qui devrais-je partager ces idées ?

_____

_____

_____

Les amis, les connaissances et les autres (suite)

Cette analyse passe par ce que vous recevez de cette relation, de ce qui vous fait grandir dans l'échange, si échange il y a.

Est-ce que ces gens vous donnent de l'énergie, des idées et une meilleure vision du monde et de vous-même, ou est-ce qu'ils retardent votre développement, ou ont carrément des valeurs différentes des vôtres?

Pour qu'une relation soit constructive, il faut que les parties impliquées y trouvent de la satisfaction, du plaisir et un certain bien-être. Un sentiment de donnant donnant doit aussi être vécu, non par la quantité ou le type d'activité, mais bien dans l'organisation des rencontres et dans le nombre de démarches pour se voir.

Suite à cette analyse exigeante, déterminez avec qui continuer votre chemin de vie et décider de garder uniquement les gens qui vous aident à grandir, à cheminer dans les directions qui vous conviennent.

Ces choix seront difficiles et marquants, mais ils seront à la base du respect de vous-même et de votre satisfaction d'être.

Comment puis-je utiliser ces idées ?

_____

_____

_____

_____

_____

_____

_____

_____

_____

_____

Avec qui devrais-je partager ces idées ?

_____

_____

_____

Pour faire réfléchir

Ma mère
Tu vas aller loin dans la vie, mais pars tout de suite…

Dalaï-lama
Ouvre tes bras au changement, mais garde tes valeurs.

Tom Hopkins
Les champions font presque toujours ce qu'ils pensent être le plus productif à chaque moment; les perdants, rarement.

John C. Maxwell
Ne gérez pas votre temps, gérez votre vie !

Jack Canfield
Il faut prendre 100 % des responsabilités de ce que l'on fait… 100 %!…

Bill Gates
Le succès est un mauvais professeur. Il pousse les gens intelligents à croire qu'ils sont infaillibles.

Albert Einstein
N'essayez pas de devenir un homme qui a du succès. Essayez de devenir un homme qui a de la valeur.

Ted Rogers
Ne suivez pas votre rêve, vivez-le!

Références

1- **THINK**® **on your feet**, created by Keith Spicer, McLuhan & Davies Communications Book, 1985

2- Queen's Executive Development Centre, **Strategic Change Workbook**

3- Keith Ferrazzi, **Never Eat Alone: And Other Secrets to Success, One Relationship at a Time**, (Broadway Books, 2005)

4- Verne Harnish, the **"Growth Guy"** Founder and CEO, Weekly Insights : www.gazelles.com

5- Stephen R. Covey, **First Things First**, A. Roger Merill and Rebecca R. Merrrill, (Simon & Schuster Adult Publishing Group, 1994)

6- Jim Clemmer, **The Leader's Digest : Timeless principles for team and organization success**, (Canada, TCG Press, 2003)

Trucs et secrets pour
mieux réussir

Lectures

Voici une liste de livres que je me permets
de vous recommander.
Plusieurs idées développées sont issues de ces lectures.

John C. Maxwell, *Leadership Gold : lessons learned from a lifetime of leading* (Nashville, Thomas Nelson Inc., 2008)

Kenneth Zeigler, *Organizing for Success* (United States, The McGraw-Hill Companies, 2005)

Seymour Schulich with Derek DeCloet, *Get Smarter: Life and Business Lessons*, (Canada, Key Porter Books Limited, 2007)

Robin Sharma, *The monk who sold his Ferrari*, 10th anniversary edition (Canada, HarperCollins Publishers Ltd, 2007)

Larry Bossidy & Ram Charan, *Execution:The discipline of getting things done* (NewYork, Crown Business, 2002)

Jacques Ménard, *Si on s'y mettait*, Les Éditions Transcontinental (Montréal, 2008)

Merci de m'avoir permis d'être votre coach.

Pour me joindre :

Jean.Laporte@laportedelareussite.com

Pour d'autres lectures, documents de travail ou pour acheter ce livre :

www.laportedelareussite.com